PLAGAS Y ENFERMEDADES

Una guía esencial para el tratamiento y la prevención de las diversas afecciones del jardín.

Martha Álvarez

ALBATROS
Jardinería Práctica

Edición
Cecilia Repetti

Asistente de edición
Guadalupe Rodríguez

Dirección de arte
María Laura Martínez

**Diseño, diagramación
e ilustraciones**
Andrés N. Rodríguez

Fotografías
Verónica Urien
Archivo SXC

PLAGAS Y ENFERMEDADES

1ra. edición – 5000 ejemplares
Impreso en **Gráfica Pinter S.A**
México 1352, Buenos Aires, Argentina
Septiembre 2008

ISBN: 978-950-24-1235-1

© Copyright 2008 by **Editorial Albatros SACI**
Torres Las Plazas Jerónimo Salguero 2745
5to piso oficina 51 (1425)
C. A. de Buenos Aires, República Argentina
IMPRESO EN LA ARGENTINA
PRINTED IN ARGENTINA
www.albatros.com.ar
e-mail: info@albatros.com.ar

Álvarez, Martha
    Plagas y enfermedades - 1a ed.- Buenos Aires : Albatros, 2008.
    96 p. il.:; 16x24 cm.

    ISBN 978-950-24-1235-1

    1. Enfermedades de las Plantas. I. Título
    CDD 632

A mi querida hermana Zulema,
impulsora de todos los proyectos.

Unas palabras

Es sabido que el inicio de toda actividad con las plantas se compone de la siembra y de la plantación. Pero este momento es, además, el punto de partida de toda una serie de labores culturales, que incluyen el control de las plagas y las enfermedades como una de las más importantes, y que deberán realizarse a lo largo de toda la vida de las plantas. El éxito se fundamenta en la forma de llevar a cabo estas tareas. Para ello, habrá que procurar la combinación de todos los métodos posibles, aplicando siempre las medidas preventivas —y si fuera necesario, las curativas—, para lograr restablecer el equilibrio perdido de ese ecosistema que es el jardín.

Se resalta la necesidad de conocer la toxicidad de los productos empleados, la lectura de las etiquetas y la aplicación de técnicas no invasivas, que tengan en cuenta los criterios que actualmente se siguen en el mundo, como es el control integrado para cuidar la fauna y la flora.

Con criterio, mesura y conocimiento, se pueden aplicar los insecticidas y los fungicidas menos tóxicos, aceptados por la Organización Mundial de la Salud (OMS), y lograr en los casos más graves erradicar los problemas sin dejar de lado el manejo del suelo, las enmiendas y los fertilizantes, temas fundamentales para el buen estado de las plantas; así como también el control de la humedad, de la temperatura y la insolación.

La naturaleza muestra la necesidad de trabajar en un todo integrado, donde se respeten los factores concurrentes para la sanidad de las plantas y se puedan combinar, al mismo tiempo, las técnicas de la agricultura orgánica con los tratamientos clásicos basados en aplicación de agroquímicos, ahora menos contaminantes. Lo importante es encontrar, mediante la experimentación diaria, el camino de lo mejor y más conveniente para nuestro jardín.

Martha Álvarez

CAPÍTULO
1

La salud del
jardín

Capítulo 1

La salud del jardín

La salud del jardín está relacionada con factores básicos relativos al desarrollo y la nutrición de las plantas, como la cantidad de luz recibida, las condiciones del sustrato o las características del suelo, el drenaje, el contenido de materia orgánica, las condiciones ligeras o sueltas del suelo (que permiten la extensión de las raíces) y, finalmente, el mantenimiento, que involucra el control de enfermedades y plagas, el riego, las labores culturales y la fertilización adecuada.

Plantas sanas, plantas bellas

El valor ornamental de las plantas está dado por aspectos tales como la forma de la planta, su color y la textura de las hojas, acompañados por otros elementos estéticos como el brillo y el vigor del follaje, la densidad de la copa, la cantidad y la calidad de las flores y los frutos. Todos estos atributos están ligados directamente con la sanidad de la planta y, por supuesto, con sus factores genéticos.

Una planta sin vigor, decaída, sin brillo, con follaje amarillento, hojas comidas y manchadas, escasa floración, aporta poco desde el punto de vista estético, y obliga a llevar a cabo una lucha constante para recobrar el equilibrio perdido mediante la aplicación de tratamientos a base de compuestos químicos, orgánicos o naturales, cuyas técnicas de manejo son muy importantes.

Cabe destacar que son muchos los factores que inciden en la sanidad de las plantas. Estos pueden dividirse en internos o genéticos, que son los característicos de cada especie; y externos o ambientales, que incluyen los cambios climáticos abruptos, como humedad y sequía, altas y bajas temperaturas, vientos cálidos y secos, heladas y granizo, entre otros. El crecimiento y la supervivencia de las plantas dependerán, en primer lugar, del estado del suelo y del sustrato. Un sustrato liviano y de consistencia adecuada admitirá el desarrollo normal de la planta mediante el aporte del sostén físico propicio para las raíces, y el drenaje y la aireación necesarios, a la vez que permitirá a las raíces finas extenderse en busca de la humedad y los nutrientes. Suelos compactados, sin drenaje, carentes de nutrientes y materia orgánica

darán plantas pobres, sin defensas y proclives a enfermarse. En segundo lugar, es importante la correcta elección de las especies: deberá darse prioridad a las plantas rústicas y originarias del lugar, y descartar las especies exóticas muy sensibles, que no se adaptarían al sitio sin mediar excesivos cuidados en el mantenimiento. Las plantas de otras regiones son presas del ataque de las plagas y las enfermedades de la nueva locación, ya que no cuentan con los predadores nativos de su lugar de origen, que son los que permiten mantener el equilibrio con los agentes patógenos, su avance y su desarrollo.

Por otro lado, se impone la observación diaria de las plantas, que sirve para detectar los primeros síntomas de una enfermedad o la presencia de una plaga.

Esta observación se realiza sencillamente con el mantenimiento periódico. En este sentido, se deben considerar las técnicas de poda, que requieren del conocimiento previo de las especies que se van a podar y el posterior tratamiento de las heridas ocasionadas. Hay que tener en cuenta que las heridas producto de la poda son la puerta de entrada para hongos, bacterias y organismos patógenos en general.

Finalmente, es importante saber que pueden evitarse muchas enfermedades practicando medidas preventivas que permiten mejorar las condiciones generales de la planta, aumentar sus defensas y evitar así el contagio de enfermedades. Pero, en el caso de que los patógenos ya se hayan instalado e invadido la planta, entonces deben practicarse medidas terapéuticas.

Algunos términos relacionados con la salud del jardín

ECTOPARÁSITO

Es el parásito que actúa en la parte externa de la planta, cubriendo tallos jóvenes, pimpollos florales y hojas nuevas, sin internarse en el interior de la planta. Son ejemplos el oídio del rosal y la fumagina.

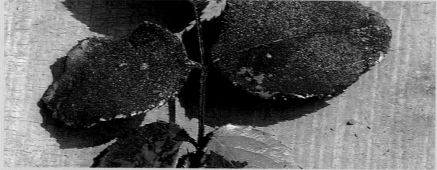

Fumagina: polvillo negro que cubre exteriormente las hojas del rosal.

ENDOPARÁSITO

Es el parásito que penetra en la planta y allí se instala, por lo cual resulta una enfermedad difícil de combatir, como ocurre con la mancha negra del rosal.

Mancha negra del rosal.

ENFERMEDAD BIÓTICA

Es una alteración de la planta, producida por agentes patógenos parasitarios y no parasitarios. Está causada por organismos microscópicos como bacterias, virus y hongos, que originan pudriciones, clorosis, malformaciones, alteraciones del crecimiento, tumores, agallas, mosaicos, etc. Dentro de las enfermedades de las plantas, el ataque de hongos es el más común.

Manifestaciones de peronospora en rosas.

ENFERMEDADES ABIÓTICAS

Son las provocadas por el medio ambiente y la incidencia de los factores climáticos, como ocurre en el amarillamiento causado por las heladas, la caída de hojas en plantas que sufren las corrientes de aire, los amarillamientos por falta o exceso de riego, los acartuchamientos de las hojas por sequía, la quemadura del follaje en plantas de media sombra durante las horas de mucha insolación, etc.

Plantas mutiladas por la poda excesiva, que produce la pérdida de su estado sanitario.

INFESTACIÓN

Es la invasión de una planta por una plaga. Los signos de infestación por insectos, ácaros, etc. (además de la presencia de estos organismos), se manifiestan por los distintos daños que provocan, como orificios en las hojas (orugas), punteado por picaduras (pulgones), galerías o surcos en el follaje (larvas), cortes semicirculares en los bordes (avispa megachile o abeja cortadora megaliche), raspado en hojas y flores (trips), etc.

Pulgones en botones florales del rosal.

PLAGA

Engloba todos los organismos animales y vegetales que producen daños en las plantas, como aves, roedores, moluscos, insectos, ácaros y malezas. La mayoría es visible a simple vista, salvo el caso de los ácaros como la arañuela roja, de pequeño tamaño, que es más difícil de localizar y sólo se la observa con una lupa de buen aumento. Las malezas también constituyen una plaga, ya que son naturalmente muy rústicas, resistentes, invasoras y agresivas. Compiten con las plantas cultivadas por los nutrientes y el agua, y se pueden convertir en peligrosas al provocar la muerte de las plantas ornamentales por el quite de la luz, el agua y los nutrientes, así como por la transmisión de enfermedades.

Terreno atacado por malezas de crecimiento matoso, que forman rosetas adosadas al suelo.

SIGNO

Es la expresión a simple vista de la existencia de un patógeno en la planta y se puede observar en el ataque de los hongos y de las bacterias. Algunos ejemplos de signos visibles del ataque de una plaga son los orificios que hacen las orugas en una hoja o los cortes de la avispa megachile. Los signos que indican enfermedades fúngicas son, por ejemplo, el polvillo blanco del hongo del oídio, las pústulas rojas del hongo de la roya y el polvillo negro u hollín de la fumagina.

Avispa megaliche (abeja cortadora megachile).

SÍNTOMA

Es el que presenta la planta atacada por el patógeno y se manifiesta con reacciones locales en tallos, hojas, frutos, flores y raíces, como el amarillamiento de la planta, la caída de las hojas, la disminución del tamaño de los frutos y del tamaño de las hojas, etc.

Cantero devastado por el ataque severo de enfermedades.

Los virus no dan signos, sino que se detectan por los síntomas que producen en la planta, por diversas modificaciones como el enrulamiento de las hojas, el enanismo, los listados o franjas blancas en hojas y flores, la decoloración por zonas que produce, por ejemplo, el virus del mosaico en el abutilon disciplinado (Farolito japonés disciplinado, *Abutilon pictum var. Thompsoni*), etc.

Hojas de Abutilon pictum var Thompsoni, *con disciplinado por efecto de virus. La hoja se presenta manchada de áreas amarillas, como un mosaico.*

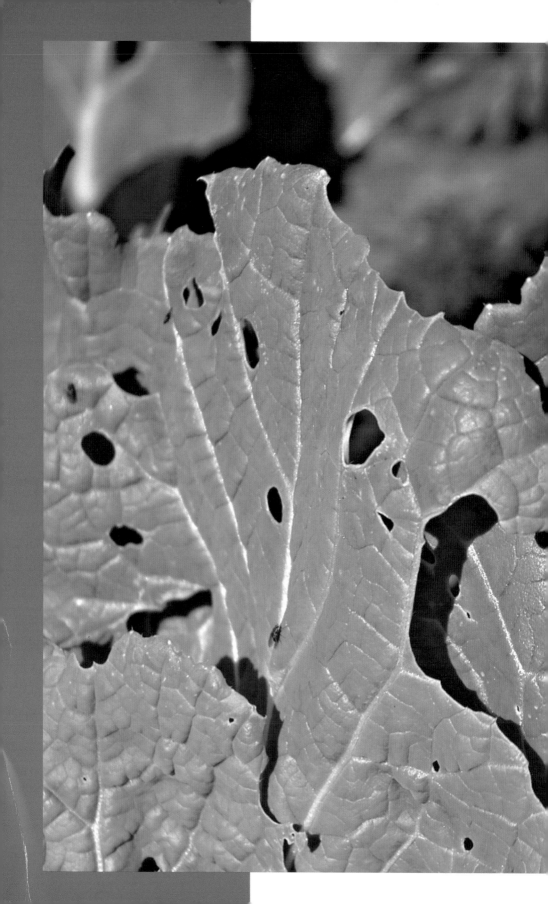

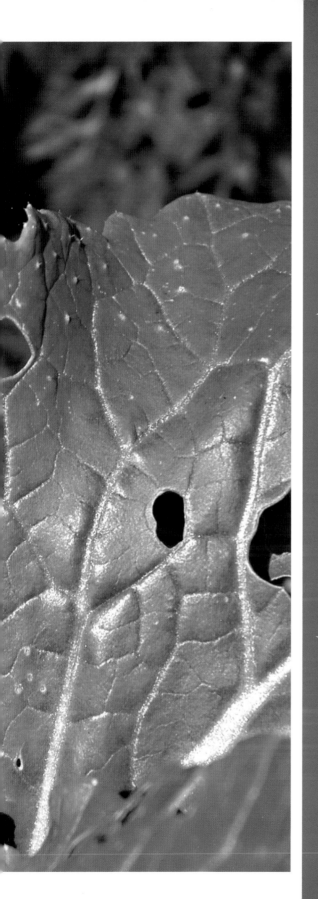

CAPÍTULO

2

Plagas de las
plantas
ornamentales

Plagas de las plantas ornamentales

Capítulo 2

Las plagas están constituidas, en su mayoría, por insectos o hexápodos (de seis patas), y también algunos ácaros, crustáceos y hasta aves. Se consideran plagas, además, a las plantas extrañas al cultivo (como las malezas), ya que compiten con ellas por el agua, los nutrientes y la luz, y tienen crecimiento invasor.

Distintos tipos de plagas

Las plagas que atacan las plantas ornamentales son muchas y de distinta gravedad, algunas de más fácil control y otras muy difíciles de erradicar. Algunas plantas, por ejemplo el rosal, se caracterizan por la cantidad de problemas sanitarios que presentan, originados en las tareas de la poda, injertos, cruzamientos, etc. Esto se debe a que, estas labores, por los cortes y heridas realizados, facilitan el traslado de los organismos patógenos de una planta a otra. La mayoría de las plagas son causadas por los insectos en la fase larval (se alimentan, con su aparato bucal masticador, de hojas, raíces, tallos, flores y frutos), aunque otras causan daños en la fase adulta.

Como ejemplo de fase larval, se pueden mencionar las orugas en las hojas y los gusanos blancos en las raíces.

Para ilustrar la fase adulta, se pueden citar los pulgones que pican las hojas; los trips que raspan pétalos y hojas; los pulgones; las moscas blancas; las cochinillas; las arañuelas rojas, que succionan la savia de las plantas; las babosas y los caracoles, que raspan la superficie de las hojas y las raíces con su aparato bucal, dejando una mucosidad brillante que identifica su presencia; los bichos bolita, en cambio, realizan una acción semejante, pero no dejan esas huellas brillantes sobre las plantas.

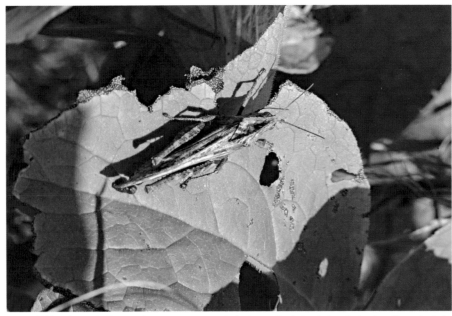

Tucura (Dichroplus spp). *Estos ortópteros consumen principalmente las hojas de las plantas y a diferencia de las langostas son de hábitos sedentarios.*

Los órganos afectados

Las plagas atacan distintos órganos de las plantas: por ejemplo, los nematodos lesionan las raíces; los caracoles prefieren las hojas y los brotes; los pulgones se alimentan de los brotes tiernos, las hojas y los botones florales.

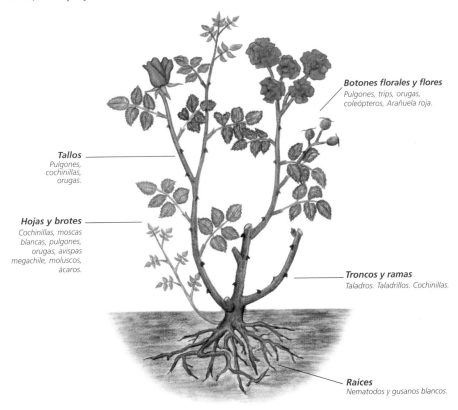

Botones florales y flores
Pulgones, trips, orugas, coleópteros, Arañuela roja.

Tallos
Pulgones, cochinillas, orugas.

Hojas y brotes
Cochinillas, moscas blancas, pulgones, orugas, avispas megachile, moluscos, ácaros.

Troncos y ramas
Taladros. Taladrillos. Cochinillas.

Raíces
Nematodos y gusanos blancos.

Las plagas y los órganos que afectan.

Aparato bucal de los insectos

Los insectos que ocasionan enfermedades toman su alimento de las plantas afectadas. Algunos extraen los jugos celulares con aparatos chupadores, otros raspan o mastican los tejidos. De acuerdo con su aparato bucal, los parásitos de las plantas pueden agruparse en: chupadores picadores, masticadores y raedores.

Parásitos chupadores picadores

En estos insectos, las piezas bucales están dispuestas de tal forma que constituyen un pico o estilete, con el cual penetran en los tejidos de las planta para alimentarse de sus jugos. Presentan cerdas mandibulares y cerdas maxilares, un labio superior y otro inferior que ayudan en la alimentación. Transmiten enfermedades virósicas y sustancias tóxicas.

- *Cochinillas:* se adhieren a las hojas y a los tallos, extrayendo los jugos celulares como alimento.

- *Pulgones:* pican hojas, tallos, brotes y botones florales, y se alimentan de los jugos celulares que extraen.

- *Arañuelas rojas:* pican las hojas, que amarillean y cambian de color.

- *Moscas blancas:* succionan los jugos celulares de las hojas.

Parásitos masticadores

Se llama así a los insectos que presentan piezas bucales aptas para masticar los alimentos. Se trata de mandíbulas que cortan el material vegetal, ayudándose con los labios superior e inferior para sostener el material.

- **Larvas de lepidópteros o mariposas:** las orugas extraen trozos de hojas para realizar sus nidos, como el "bicho de cesto", o para alimentarse. Cuando son ejemplares adultos, los lepidópteros succionan los jugos de las plantas sin causarles daños.

- **Larvas de distintas clases de escarabajos (coleópteros), "gusanos blancos" o "bichos torito" o "bicho candado":** se alimentan de tallos y partes blandas de distintas plantas, entre ellas, las de las gramíneas constitutivas del césped.

- **Adultos de langostas (ortópteros):** su aparato bucal —constituido por dos labios y dos mandíbulas quitinosas y cortantes—, les permite cortar las hojas fácilmente.

Parásitos raedores

"Raer" es quitar como cortando y raspando la superficie. Es una forma característica de los tisanópteros, es decir, de los trips, pero en este caso raen los tejidos, los lesionan mediante dos estiletes maxilares y un estilete mandibular, rompiendo las células epidérmicas de los tejidos, succionando los jugos de las hojas tiernas y de los pétalos de las flores.

- **Trips:** raspan los tejidos para extraer los jugos celulares, y dejan los pétalos de las flores con áreas sin color, como ocurre en los gladiolos y las violetas de los Alpes; lo que disminuye su valor estético y comercial. Transmiten enfermedades virósicas y sustancias tóxicas.

Descripción y tratamiento de las plagas más comunes

El conocimiento del aparato bucal de los parásitos, sus hábitos, así como la estructura de su cuerpo determinan el tipo de acciones terapéuticas que se deben emplear. Por eso, se utilizan productos que entran junto con el alimento en los masticadores como las cucarachas, las langostas, los grillos topo, etc.

Algunos parásitos son muy resistentes a los agroquímicos, como las cochinillas adosadas fuertemente a los tallos de las plantas y, en estos casos, se aplican derivados de hidrocarburos como los aceites de verano e invierno —más livianos los de verano y un poco más fuertes los de fines de invierno—, sobre plantas leñosas caducas como los duraznerros de jardín, los ciruelos ornamentales, los cerezos y otros. Estos aceites actúan por contacto, ya que asfixian a las cochinillas al cubrir el aceite sus cuerpos o escudos, produciendo la muerte y el desprendimiento posterior de estos insectos. Otros, como las hormigas, se combaten mediante cebos atractivos y tóxicos, que contienen una hormona sexual o feromona y un fungicida en pequeños cilindros de 4 mm de largo aproximadamente. Las hormigas, atraídas por las feromonas, los llevan al interior del nido, y los cebos matan así toda la colonia por acción destructiva sobre el hongo que constituye el alimento de la colonia.

Pulgones

Son los parasitos más comunes que atacan a las plantas. Pertenecen a la familia de los homópteros y son insectos chupadores. El pulgón verde del rosal (Macrosiphon rosae) es verdoso amarillento, piriforme (con forma de pera), de unos 2 ó 3 mm de largo. Algunos son alados y otros son ápteros (sin alas). Posee dos tubos al final del abdomen, que segregan ceras o melazas, y que provocan una superficie azucarada sobre hojas y tallos. Esta sustancia es utilizada por las hormigas como alimento, por lo cual estas buscan a los pulgones y los estimulan a producir la melaza. Finalmente, sobre esta superficie se

Pulgón verde en rosal miniatura, distintos estadios.

instala el hongo de la fumagina, un polvillo negro que tapa la parte superior de las hojas, impidiendo que la planta aproveche bien la luz solar.

Es importante detectar la presencia de pulgones en forma temprana; para ello, se deben examinar los pimpollos florales y el reverso de las hojas nuevas, donde se suelen alojar agrupados. Son insectos muy prolíficos, viven en colonias y atacan las partes jóvenes en primavera y verano, por lo que se recomienda revisar las plantas a fines del invierno y comienzos de la primavera, con la aparición de los brotes.

En los cultivos orgánicos o ecológicos, se trata de no usar agroquímicos y permitir la presencia de ciertos insectos benéficos, como avispas, que se alimentan de los pulgones y mantienen un equilibrio entre las plagas.

En el caso de tener pocas plantas atacadas por pulgones, se pueden despegar estos insectos pulverizando las partes afectadas con ayuda de agua jabonosa en una proporción de 30 g de jabón blanco por cada litro de agua. También se aplican aceites emulsionables de invierno en los cítricos. Consiste en un líquido blanco usado en la proporción de 3 a 4 ml por cada litro de agua que se pulveriza sobre las plantas leñosas a fines y mediados de invierno, en la época de descanso vegetativo.

Los ataques de los pulgones son mayores en primavera, cuando las temperaturas son más altas, y las plantas ya han comenzado la brotación, por lo que habrá que aplicar insecticidas específicos y muy eficaces, como el pirimicarb o el dimetoato. Como son muy tóxicos, se aconseja seguir las indicaciones que se dan en las etiquetas del producto, y observar las medidas de seguridad necesarias para evitar contaminaciones ambientales e intoxicaciones. Hay otros insecticidas eficaces pero tóxicos también, como el aldicarb, diazinon o el fention.

Pulgón en botones florales.

Pulgón verde en rosal miniatura.

Trips

Los trips del gladiolo (*Taeniotrips simplex* y otros) son insectos muy pequeños, de unos 2 mm de largo, alas con bordes de flecos rígidos, finos y largos, aparato bucal raedor y chupador de los jugos celulares. Por las heridas que provocan en los pétalos de las flores y también en las hojas, transmiten enfermedades virósicas.

Se los puede observar a pleno sol del mediodía en primavera, revoloteando alrededor de las flores.
Se debe aplicar dimetoato, diazinon, sulfato de nicotina, aceite emulsionable; todos eficaces, pero en los que se deben cuidar las medidas de seguridad por la toxicidad alta del dimetoato, por ejemplo.

Flores de rosal miniatura con trips en el interior del los pétalos amarillos.

Mosca blanca

Estos pequeños insectos ponen sus huevos sobre el envés de las hojas y las larvas se fijan allí, alimentándose de los jugos celulares de las plantas.
Los adultos son moscas pequeñas de unos 2 a 3 mm de largo, con las alas plegadas y pegadas al cuerpo, ambos de un color blanco níveo. El espacio que ocupan las alas es dominante sobre el resto. El cuerpo está cubierto por un polvo harinoso y ceroso. Se perciben como mosquitas o polillas blancas que revolotean alrededor de las plantas con el sol y las temperaturas templadas. En los estadios larvales, producen grandes daños a las plantas atacadas, por la actividad chupadora de los jugos celulares; además producen, como las cochinillas y los pulgones, secreciones azucaradas muy buscadas por las hormigas y dejan una superficie que luego se cubre por el hongo de la fumagina o negrilla.

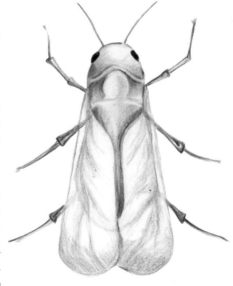

Mosca blanca (Trialeurodes vaporariorum).

Avispa megachile

La avispa megachile *(Megachile centuncularis)* es un insecto himenóptero, catalogado como abeja cortadora de hojas según el Ing. Horacio Rizzo, profesor de la cátedra de Zoología agrícola e investigador del Instituto de Tecnología Agropecuaria (INTA), en *Catálogo de insectos perjudiciales en los cultivos de la Argentina* (1977).

La abeja cortadora actúa en primavera recortando las hojas del rosal muy prolijamente, en semicírculos netos con los que construye su nido. Se debe aplicar alguno de estos productos: dimetoato, mevinfos o azinfos y dependerá de la experimentación con cada uno de ellos y la eficacia que muestren para erradicar la plaga. También, hay que tener en cuenta que las aplicaciones de un producto pueden sufrir variaciones. Se debe, por lo tanto, seleccionar aquellos más eficaces, ya que con el tiempo se observan resistencias por el uso continuado de un mismo producto.

Recorte clásico de la avispa megachile en una hoja de rosal.

Orugas de diversas mariposas

Las orugas son unos de los estadios en la metamorfosis de las mariposas (lepidópteros). Tienen un aparato bucal masticador, y se alimentan de las hojas y los botones florales, a los que dañan provocando su deterioro. Se caracterizan por ser muy voraces. Algunas pasan el invierno en el suelo y atacan en primavera. Se deben aplicar pulverizaciones con clorpyrifos, carbaryl, endosulfan, cipermetrina, entre otros.

Hojas comidas por orugas.

Orugas de varias especies mientras realizan los cortes característicos en el rosal.

Cochinillas

Las cochinillas se distinguen por su escudo protector, en general plano y circular, como en la cochinilla del rosal; en forma de cuña o coma, como las del evónimo, las orquídeas y otras; y un tercer grupo de cochinillas algodonosas que no tienen escudo y se presentan cubiertas por una capa blanca harinosa que segrega una cera.

La cochinilla del rosal *(Aulacaspis rosae)* es pequeña, en forma de disco de unos 6-8 mm de diámetro y de color blanco grisáceo. Se adhiere fuertemente a los tallos leñosos del rosal. Los daños a la planta, como el amarillamiento del follaje y la caída de las hojas, derivan de su actividad chupadora.

Se controlan con aceites emulsionables de invierno que actúan asfixiando a estos insectos mediante la cobertura de sus escudos. En arbustos caducos como el rosal, se aplican en la época de descanso, con la caída de las hojas.

Otro control es la aplicación en primavera de insecticidas sistémicos, que se transportan por toda la planta a través de la savia, como el dimetoato, endosulfan, etc.

Junto con el ataque de las cochinillas, aparece el hongo de la fumagina, polvillo negro que se instala sobre las sustancias segregadas por ellas y que desaparece cuando se combate la cochinilla.

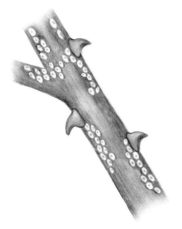

Discos o escudos de cochinilla circular del rosal, adosados al tallo.

Nematodos

Son gusanitos muy pequeños de 1 a 2 mm de longitud, que pueden observarse con una lupa. Pertenecen a los vermes redondos y filamentosos, y muchos de ellos son parásitos de las plantas. La mayoría de las especies ponen sus huevos en el suelo, y allí se desarrollan los gusanos, que chupan el jugo celular de las raíces. Se dispersan por las herramientas y los implementos usados para los trabajos del suelo, la plantación y el transplante. Pueden ser libres, vivir en colonias en el suelo o dentro de quistes adheridos a las raíces, en las que forman nudosidades. Las plantas afectadas por nematodos tienen escaso crecimiento, se presentan amarillentas, con hojas sin brillo y deformadas.

Se controla tratando el suelo con dazomet, también con oxamilo o etoprofos.

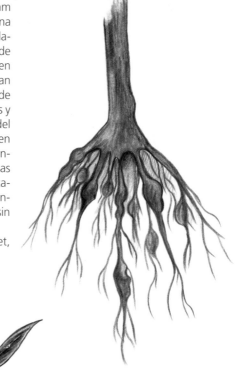

Raíces con colonias de nematodos y el dibujo de un nematodo en particular.

Arañuela roja

Es un ácaro muy pequeño, de 1 mm de largo aproximadamente, que toma distinto color según las etapas de su desarrollo y la planta de la que se alimenta. De este modo, puede ser blanco amarillento, pardo rojizo o verdoso, aunque también influye en su color la estación del año.

Los daños se manifiestan inicialmente por pequeñas manchas blanquecinas, en las que se advierten los puntos de succión de la arañuela a lo largo de las nervaduras. Posteriormente las manchas abarcan toda la hoja, que toma un color parduzco.

Las plantas afectadas se cubren de una fina tela de araña. En ataques graves, las hojas terminan secándose totalmente.

Pone sus huevos, amarillentos o parduscos rojizos, en el envés de las hojas, en épocas de sequedad del ambiente y ante altas temperaturas. Los ataques de este ácaro son rápidos y sin control, producen la muerte de la planta en poco tiempo, unos 10 ó 15 días en épocas cálidas y secas. En plantas protegidas en invernáculos, los ataques de la arañuela son más rápidos y fulminantes.

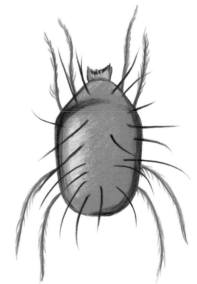

Arañuela roja.

Señales de arañuela roja como fina tela sobre el follaje.

Insectos del suelo

Los insectos, junto con las malezas del suelo, son las plagas más importantes que atacan el césped. Se encuentran bajo tierra, y los más comunes son los gusanos blancos, estados larvales de varias especies de escarabajos (coleópteros) y el grillo topo. Ellos se hallan frecuentemente en las canchas de golf, que tienen la tierra ligera y preparada, y con abundante masa de plantas y raíces. Se alimentan de las raíces y de la base de los tallos de las plantas.

Grillo topo *(Scapteriscus borellii)*

Este insecto se caracteriza por su gran tamaño (llega a medir hasta 4 cm de largo), ya que su cuerpo de color castaño amarillento es vigoroso, con poderosas patas delanteras cavadoras, con las que confecciona sus galerías y nidos hasta una profundidad de 40 cm. Las larvas se alimentan de las raíces del césped y de los tallos tiernos. Esta plaga es muy frecuente en las canchas de golf y resulta sumamente perjudicial para ellas, pues produce serios daños en el césped: pozos, túmulos o gránulos de tierra agrupados en torno a la salida de las galerías, como los que hacen las hormigas; lo que impide la necesaria uniformidad del terreno para el correcto deslizamiento de la pelota.

Grillo topo (Scapteriscus borelli).

Gusano blanco de *Diloboderus abderus*

Es una larva blanca —característica del escarabajo llamado "bicho torito" o "bicho candado"—, un coleóptero que lleva en la cabeza dos prominencias cornáceas negras, lo que le da el nombre de "torito". En verano, el escarabajo deposita los huevos en el suelo, cerca de la superficie; los huevos eclosionan y salen las larvas que se alimentan de las raíces de las plantas para, en el invierno, internarse en el suelo a invernar. Finalmente, en primavera, salen a la superficie como adultos. Por lo tanto, es muy común encontrar sus larvas en el césped cuando se abren pozos de 20 a 30 cm de profundidad. Allí viven protegidos del invierno y, en primavera, salen con las brotaciones de las plantas. Las larvas son gruesas, blancas y de unos 3 a 4 cm de largo, con aparato bucal masticador y muy voraces, por lo que destruyen las plantas en primavera.

Gusano blanco de *Melolontha melolontha*

Es un escarabajo del orden de los coleópteros, con larvas desarrolladas de 4 a 5 cm de largo de color blanco sucio, y de aspecto grasiento. Poseen tres pares de patas delanteras o torácicas, encorvadas. Su cabeza es algo oscura y pequeña, con la parte posterior muy ensanchada. Se alimentan de raíces y viven a unos 30 cm de profundidad.

Gusanos del suelo (larva ápoda de coleóptero).

Gusanos blancos del suelo (Melolontha melolontha).

Perforación realizada por gusanos blancos.

Las plagas del suelo

El suelo está compuesto por partículas minerales, agua, aire y materia orgánica. Contiene además una microflora y una microfauna muy ricas y variadas que cumplen una función transformadora de todos los residuos orgánicos, por medio de la cual las plantas encuentran el nitrógeno y otros elementos nutritivos.

Pero, como ya mencionamos, también presenta organismos patógenos, como los nematodos, las formas larvales de los escarabajos o los gusanos blancos, las larvas de los grillos topo y otros que se alimentan de las raíces de las plantas. De este modo, destruyen los bulbos y funcionan como un medio adecuado para que se instalen hongos y bacterias; por eso, deben ser controlados para preservar el cultivo.

Control químico de gusanos del suelo	
Plagas	**Control químico**
Coleópteros (larvas)	Carbaryl, 2 cm^3/100 m^2
Gusanos blancos, bicho torito (*Dilobderus abderus*) en invierno están a 30 cm de la superficie. En primavera salen para alimentarse de raíces y tallos.	Clorpyrifos, 10 cm^3 /100 m^2
Gusano blanco (*Melolontha melolontha*).	Clorpyrifos, 10 cm^3/100 m^2
Gusanos alambres (estado larval) (*Conoderus sp*) que se alimentan de las raíces del cuello de la planta.	Clorpyrifos, 10 cm^3/100 m^2
Hormiga negra común; hormiga podadora (*Acromimex lundi*).	Mírex, siguiendo los caminos de las hormigas (no aplicar si puede llover).
Hymenópteros: deterioran el césped, destruyendo las raíces, haciendo canales en el suelo y dejando cúmulos de tierra que también deterioran las raíces.	Clorpyrifos en la boca del hormiguero; se pueden destruir los nidos cavando y haciendo un barro con agua.
Grillo topo (larvas) *Scapteriscus borelli (Scapteriscus vicinis); Orthopteros.* Las larvas se alimentan de las raíces del césped dejando áreas amarillentas enteras. Los adultos cavan galerías donde depositan los huevos en el nido y destruyen hasta los 30 cm de profundidad las capas superficiales del suelo. Para identificarlos se riegan las zonas con jabón blanco o con detergente y se los puede observar; tienen patas delanteras poderosas que usan para cavar; miden 4 a 5 cm de largo y son de color castaño amarillento. Sobre el césped dejan túmulos de tierra gruesa.	Clorpyrifos; se riegan los lugares afectados y luego se agrega agua para que se distribuya hacia las capas profundas.
Lombrices de tierra (*Lumbricus terrestris*).	Carbaryl, 2 cm^3/100 m^2

Insectos

Periódicamente habrá que estar atento a la aparición de insectos, ya que es una plaga difundida que es muy difícil de erradicar y controlar. En el caso del césped, las plagas comprenden insectos adultos y sus formas larvales, que se desarrollan bajo la superficie del suelo y se alimentan a costa de los rizomas, estolones y raíces de las gramíneas, provocando áreas peladas, falta de vigor y color en las plantas. Una vez identificado el problema, habrá que ubicar los lugares y, con una pala, extraer una muestra de tierra.

Para su identificación, se riega el césped con solución jabonosa y así se obliga a las larvas a salir a la superficie. Se combaten con carbaryl (2 cm^3 cada 100 m^2) y clorpyrifos, tomando todas las medidas de seguridad necesarias, pues son muy tóxicos. No tan efectivos, aunque sí menos tóxicos, son las cipermetrinas, piretrinas con mayor poder residual, usadas para los organismos del suelo.

Cuando la plaga es muy importante, se debe pasar un rotocultor (*rototiller*, en inglés), que es un implemento mecánico, formado por un eje horizontal que hace girar a gran velocidad un conjunto de implementos como azadines, etc., aplicados sobre el eje. Este implemento es tirado por un tractor y se usa para la preparación del suelo en huertas, cultivos florales al aire libre, canchas de golf, implantación de carpetas de césped nuevas etc., y también para destruir nidales de grillos topo, gusanos blancos y otros en los campos de golf, donde se necesita una superficie cuidada, firme y sin pozos. Esta labor se hace desde la primavera hasta el invierno, en céspedes ya destruidos por la plaga y con el objetivo de volver a sembrar o volver a implantar gajos. Para esto, se realiza una acción combinada de labor mecánica en la tierra y aplicación de agroquímicos, como carbaryl, diazinon, clorpyrifos o dimetoato, aunque el más usado es clorpyrifos.

Moluscos gasterópodos: babosas y caracoles

Las babosas son muy comunes en lugares húmedos y reparados. Hay varios tipos de babosas: la gris pardusca (Deroceras reticulatum), de unos 5-7 cm de largo, es la más común en los jardines; y la babosa amarillo verdosa, de unos 8 cm de largo, que ataca los bulbos y es menos conocida.

Los caracoles son moluscos que viven en lugares húmedos y reparados entre las piedras, raspan los tejidos de las plantas y los desmenuza para alimentarse.

El órgano encargado de este proceso se llama "rádula", y consiste en una placa dura y alargada con dientecillos quitinosos dispuestos en hilera y en la base de la boca. Esta estructura le permite devorar las hojas más carnosas de las begonias, los claveles y otras plantas, dejando orificios en las hojas y sendas brillantes sobre los lugares que transitan, lo que revela su presencia.

Durante el día, tanto las babosas como los caracoles, permanecen escondidos del sol que afecta su capa externa. Estos organismos son también peligrosos porque dejan un ambiente gelatinoso que facilita la instalación de hongos patógenos.

Caracol. Hojas de repollo con daño (típico agujereado) producido por este molusco.

Crustáceos

El bicho bolita *(Armadillium vulgare)*, llamado así por la particularidad que tiene de enrollarse sobre sí mismo, es un pequeño crustáceo grisáceo de unos 12 a 16 mm de largo. Posee 7 pares de patas torácicas y 5 abdominales. Se alimenta de hojas y tallos tiernos y materia en descomposición. Vive en lugares húmedos, entre las piedras, debajo de maderas, etc.; allí se acumulan los ejemplares y se protegen del sol.

Como tiene costumbres nocturnas, pasa inadvertido en el jardín, pero ataca pétalos de flores y otras partes blandas de las plantas.

Bicho bolita.

Las plagas y su control

El correcto reconocimiento de las plagas que atacan a las plantas es fundamental para elegir el producto adecuado para combatirlas. A continuación, se presenta un resumen en forma de cuadro que puede resultar de consulta permanente.

Reconocimiento y control de plagas

Organismo	Características
Abeja cortadora o abeja solitaria: *Megachile Centuncularis* (Insecto himenóptero).	Parecida a las abejas, oscura y con rayas amarillas en el dorso. Las hojas que corta le sirven para hacer su nido.
	Daños / Época
	Recorta prolijamente hojas de rosales, glicinas, lilas, ligustros, azaleas y otras, desde los bordes y en forma de semicírculos.
	Control
	En primavera. Se pueden aplicar: piretroides, fenitrotion, o deltametrina. Preventivamente: aceites de invierno.

Organismo	Características
Arañuela roja: *Tetranychus telarius* (Ácaro).	Son ácaros de 1-2 mm de largo, rosados o amarillos, según la planta a la que atacan. Se alojan en la cara superior de las hojas, y tejen una tela muy fina sobre el envés, produciendo con sus picaduras un punteado típico. El follaje toma una tonalidad pardusca o bronceada amarillenta.
	Daños / Época
	Daños en el follaje y las flores, las hojas se deforman y decae el vigor de las plantas por la savia succionada. Ataca en primavera y verano, con temperaturas altas y sequedad en el ambiente.
	Control
	En primavera / verano: dimetoato, azinfos, monocrotofos o diazinon. Aceite mineral de invierno y de verano. Preventivamente: disminuir abonos, mojar el follaje para ahuyentar la arañuela, limpiar de malezas los terrenos vecinos.

Reconocimiento y control de plagas

Organismo	Características
Babosa y caracol: *Limax* sp. *(Deroceras laeve)*, babosa amarilla; *Agriolimax* sp, *(Deroceras agrestis)*, babosa gris; *Hélix* sp, caracol (Molusco).	*Caracol:* en lugares húmedos, sin luz. *Babosa:* es semejante al caracol, pero sin caparazón calcáreo. 4 a 5 cm de largo, color pardo amarillento. Común en lugares húmedos y oscuros.
	Daños / Época
	Se alimentan de las hojas de las plantas, dejan sus huellas brillantes sobre ellas y sobre la tierra. Eligen las plantas con hojas más finas, a las que desgarran los tejidos.
	Control
	Rodear las plantas con aserrín grueso, piedritas, etc., que evitan el ascenso de los moluscos. Además, cuando los daños son grandes aplicar: cebos tóxicos a base de metaldehído. Pulverizar las plantas con caldo bórdeles.

Organismo	Características
Bicho bolita o "Cochinilla de la humedad": *Armadillidium vulgare,* se enrolla sobre sí mismo; *Porcelio laevis,* no se enrolla (Crustáceo).	Mide unos 1,5 ó 2 cm de largo. Este crustáceo vive en lugares húmedos, se alimenta de las raíces y bulbos de las plantas. Ambas especies son similares, varían algo por el tamaño.
	Daños / Época
	Produce daños en el follaje y crea el medio adecuado para el ataque de hongos.
	Control
	Preventivamente: colocar tabla de madera para crear una protección de la luz y dar ambiente húmedo; esto atrae a los bichos bolita que se refugiarán allí y luego se los extrae del lugar. Tratamiento de los suelos con clorpyrifos.

Organismo	Características
Cochinilla: *Aulacaspis rosae, Unaspis evonymi, Leucaspis pini, Aspidiotus hederae* (Insecto).	Se fija en tallos, hojas, frutos, y succiona la savia con su aparato bucal picador. Hay varios tipos: cerosas; globosas en forma de disco blanco grisáceo, como la del rosal; forma de almeja gris, como la de los evónimos. La cochinilla del rosal mide 3-5 mm de diámetro, es circular y chata. Se adhiere fuertemente.
	Daños / Época
	Plaga polífaga, se alimenta de varias especies. Provoca el amarillamiento del follaje, transmite enfermedades virósicas. Es resistente a los agroquímicos. Resiste las bajas temperaturas y entra en actividad en primavera. Segrega melaza, que sirve de alimento a las hormigas y a los hongos de la fumagina, que cubren las hojas de un polvillo negro.
	Control
	Tratamiento: en plantas leñosas, aplicar dimetoato cada 15 días, a fines de invierno o comienzos de la primavera para erradicar las formas jóvenes adheridas. También usar otros insecticidas eficaces como: acefato o aldicarb o mercaptotion. Después de la poda: se aplica polisulfuro de calcio en los rosales y se aconseja el uso de aceites de invierno y de verano que cubren el cuerpo del insecto y lo asfixian.

Reconocimiento y control de plagas

Organismo	Características
Grillo topo: *Scapteriscus borelli* (Insecto ortóptero)	Grillo de 25 a 35 mm de largo, con patas poderosas con las que cava en la tierra galerías de 30 cm de profundidad. Allí hace el nido y pone los huevos. Las larvas suben y comen las raíces y la base de tallos tiernos en primavera.
	Daños / Época
	Daños graves en canchas de golf, donde los suelos son sueltos y tienen buen drenaje, ricos en materia orgánica y cubiertos de plantas herbáceas. Atacan también los bulbos y los rizomas. Actúan en primavera.
	Control
	Tratamiento: en situaciones de gran infestación, realizar aradas profundas, extraer los nidos e identificar las áreas atacadas mediante la prueba del agua jabonosa que hará salir al insecto. Erradicar los nidos en los lugares marcados por la prueba del jabón con riegos de clorpyrifos o cipermetrina.

Organismo	Características
Gusano blanco: *Lygirus* spp., *Dilobderus abderus* (Insecto coleóptero)	Gusanos blancos encorvados, con tres pares de patas y cabeza oscura. Las larvas viven en el suelo a unos 30 cm de profundidad y en primavera, con la brotación, comen raíces, tallos nuevos, bulbos, etc.
	Daños / Época
	Dejan las plantas sin vigor, cloróticas. Producen daños en el césped, en su color y textura y afectan la uniformidad.
	Control
	Tratamiento: en invierno realizar una arada profunda entre 20 y 30 cm de la superficie del suelo. Los pájaros se llevan las larvas que quedan en la superficie. Aplicación de cipermetrina o clorpyrifos, en riegos sobre áreas afectadas.

Organismo	Características
Hormiga cortadora, hormiga negra de jardín: *Acromyrmex lundi,* (Insecto).	Mide entre 7 y 9 mm de largo, recorta el follaje de la planta atacada. Inyecta virus a las plantas. Los túmulos o pila de tierra que dejan con lo excavado para hacer el nido facilitan su identificación.
	Daños / Época
	Defoliación de las plantas.
	Control
	Tratamiento: colocar mírex en el sendero de las hormigas (no usarlo cuando llueve). Tratamiento no contaminante: Cavar los nidos de las hormigas, hacer un pastón con agua y destruir larvas y huevos. En casos graves, regar con clorpyrifos. En arbolitos jóvenes evitar que asciendan con aros de espuma de nailon sujeto al tronco, cintas engomadas, papel de aluminio lustroso.

Advertencia

Usar guantes de látex, botas de goma y ropa adecuada que cubra los brazos, el tronco y las piernas. Después de cualquier aplicación con agroquímicos lavar cara, manos y piel expuestas con agua y jabón. Lavar la ropa con agua y jabón blanco.

Reconocimiento y control de plagas

Organismo	Características
Mosca blanca: *Trialeurodes vaporariorum* (Insecto).	Mide 2 a 3 mm de largo, cuerpo cubierto por una cera blanca, alas bien pegadas al cuerpo. Las larvas se fijan en la cara inferior de las hojas y segregan melaza. Los adultos vuelan alrededor de la planta. Son insectos chupadores.

Daños / Época

La mosca blanca extrae la savia de las plantas como alimento y segrega una melaza que usan las hormigas y los hongos para su nutrición. El hongo de la fumagina o negrilla se instala sobre la cara superior de las hojas. Cuando se combate la mosca, desaparece también la fumagina.

Control

Tratamiento: contra los adultos, aplicar en primavera/verano dimetoato cada 15 días, también otros insecticidas como: diazinon, fenitrotion, mercaptotion o aceite mineral de invierno, para combatir las larvas.
Tratamiento no contaminante y casos leves: se puede pulverizar sobre las hojas usando solución de jabón blanco (10 g por litro de agua).

Organismo	Características
Nematodos de las raíces: *Meloidogyne* spp., *Ditylenchus* spp., *Heterodera* spp., (Nematodos).	Pequeños organismos de entre 1 y 2 mm de diámetro, viven aislados o en colonias en el suelo y atacan las raíces de las plantas. Muy polífagos, atacan a numerosas especies de plantas ornamentales.

Daños / Época

Parasita las raíces finas y forma agallas en donde deposita los huevos. La planta decae, amarillea y la floración es mala. Sólo son visibles con el microscopio. Permanecen inactivos a temperaturas bajas (menores a los 10 °C), y son óptimas para su desarrollo las mayores de 25 °C, por lo tanto, en lugares fríos presentan menos problemas a las plantas.

Control

Observar las raíces de las plantas antes de plantarlas, descartar las invadidas por los nematodos adheridos a las raicillas como pequeñas agallas. Desinfectar el suelo y cambiar la tierra, aplicar nematicida. Observar las plantas que amarillean y, para identificar el ataque de nematodos, observar sus raíces.

Organismo	Características
Orugas: (formas larvales de los Lepidópteros).	Larvas de las polillas o mariposas. Aparato bucal masticador. Son muy voraces. Algunas hacen sus nidos con las hojas que cortan.

Daños / Época

Daños graves en las hojas, sobre todo en primavera /otoño: cortes circulares como orificios, en ataques graves amarillean las hojas.

Control

Tratamiento preventivo, aplicar a comienzos de la primavera: endosulfan, o clorpyrifos o acefato o cipermetrina.

Reconocimiento y control de plagas

Organismo	Características
Pulgones (varias especies): *Macrosiphon rosae, Aphis viburni, Myzodes persicae,* (Insectos)	De color verde amarillento y oscuro. Aparato bucal constituido por dos mandíbulas y dos maxilas transformadas en cerdas, con las cuales dañan los tejidos y extraen la savia de las plantas (hojas, tallos, botones florales). Viven en colonias numerosas sobre flores y tallos. Muy prolíficos.

Daños/Época

Daños en pimpollos, hojas, flores, brotes, tallos. La picadura deforma las flores y las hojas. Los pulgones segregan una melaza, que es alimento de las hormigas y del hongo de la fumagina o negrilla, que cubre la cara superior de las hojas. Transmiten enfermedades virósicas.

Control

Tratamiento: aplicar dimetoato en primavera cada 15 días, pirimicarb, fention o diazinon. Método no contaminante: solución de jabón blanco (10 g cada litro de agua). Pulverizar sobre las hojas, método útil cuando son pocas plantas.

Organismo	Características
Taladrillos (varias especies): *Platypus sulcatus* (Coleóptero)	Se alimentan de la madera, cavan galerías en las que hacen el nido y colocan los huevos. Las larvas son blancas, los adultos oscuros. El ataque se reconoce por los orificios de 2 mm de diámetro, en la corteza de los árboles y el aserrín que cae al suelo.

Daños / Época

Ataca numerosas especies arbóreas y arbustivas: plátanos, olmos, robles, fresnos, cítricos, casuarinas. En ataques leves, la brotación de la copa se seca, pero si se internan más, ponen en peligro la vida del árbol. La planta se debilita, amarillea y caen las hojas.

Control

Tratamiento: aplicar insecticidas sistémicos, sumithion o acefato, fenitrotion o dimetoato, cápsulas con el insecticida sistémico, que se introducen en orificios hechos en la corteza del árbol, a 7 u 8 mm de profundidad, a 20 cm distancia y a 1,50 m del suelo. Cubrir con sellador sintético o con barro.

Organismo	Características
Trips: *Taeniothrips* sp. *simplex,* trips del tabaco, *Taeniothrips* sp. (Insecto)	Muy pequeños, alados, de 1,5 a 2 mm de largo, oscuros, vuelan en días cálidos sobre las plantas, y succionan el jugo celular con un fino estilete, raspan pétalos y hojas. Se multiplican con el calor y en ambiente seco.

Daños / Época

Daños al raer las piezas florales, ya que dejan deterioros y marcas, como ocurre en el gladiolo, el clavel, las azucenas y otras. El follaje toma color amarillo plateado.

Control

Aplicar: acefato o dimetoato, imidacloprid por vía foliar.
En las bulbosas, se deben espolvorear los bulbos que alojarán los trips en invierno con: diazinon o lindano.

Control de las plagas más comunes en el césped

El césped puede ser atacado por diversas plagas. Larvas, insectos en su fase adulta, anélidos como la lombriz de tierra son, entre otros, algunos de sus enemigos.

Control químico de plagas del césped

Plagas	Control químico
Coleópteros (larvas).	Carbaryl 2 cm^3/100 m^2.
Gusanos blancos, bicho torito (*Diloboderus abderus*). En invierno están a 30 cm de la superficie. En primavera salen para alimentarse de raíces y tallos.	Etoprop 20 cm^3/100 m^2. Clorpyrifos 10 cm^3/100 m^2.
Gusanos blancos (*Melolontha melolontha*).	Clorpyrifos 10 cm^3/100 m^2.
Gusanos alambres, estado larval (*Conoderus sp.*). Se alimentan de las raíces y el cuello de la planta.	Clorpyrifos 10 cm^3/100 m^2.
Hormiga negra común o podadora, himenóptero (*Acromyrmex lundi*). Deterioran el césped: destruyen las raíces, hacen senderos en el pasto y dejan túmulos que también causan daño. Cuando atacan las plantas, les transfieren toxinas, lo que les provoca problemas en el crecimiento. Es una plaga que ataca a todas las plantas en general, sobre todo en la época de la brotación. Hay especies muy sensibles al ataque de las hormigas, como los rosales, la ligustrina y otras, mientras que otras no son atacadas, como el paraíso y las aromáticas.	Aplicar mírex siguiendo el camino de las hormigas. No aplicar si hay posibilidad de lluvias. Destruir los hormigueros, cavando y haciendo un pastón con agua, lo cual destruye los nidos, los huevos, las larvas y la colonia.
Grillo topo (*Scapteriscus borelli*), ortóptero. Tiene gruesas y potentes patas delanteras que usa para cavar, cuerpo grueso, amarillo castaño, llega a medir 4 cm de largo. Las larvas se alimentan de las raíces del césped, lo que deja áreas enteras amarillentas. Los adultos cavan galerías y depositan los huevos en el nido. Para ello destruyen hasta los 30 cm las capas superficiales del suelo.	Primero, identificar las zonas atacadas con riegos de agua y jabón blanco, hasta que las larvas suban a la superficie. Luego aplicar riegos con clorpyrifos sobre las partes afectadas y, a continuación, regar con agua para que el producto descienda en el perfil del suelo.
Lombriz de tierra (*Lumbricus terrestris*), anélido. Cuando la cantidad es muy numerosa, trae problemas al césped.	Carbaryl 2 cm^3/100 m^2. en las zonas afectadas.

Túmulo de hormiga negra (Acromirmex lundi).

Los animales domésticos

Los perros

Los perros, con sus orinas y materias fecales, pueden ser perjudiciales para las plantas. También suelen destruir las flores de los bancales del jardín, ya que pueden pisotearlas y cavar pozos. Cuando haya perros en el jardín, se deberá determinar un lugar para ellos o bien habrá que seleccionar plantas muy rústicas.

Los pájaros

Los pájaros, por su parte, son un problema en el momento de la siembra, ya que se alimentan de las semillas del césped. También comen los frutos de algunas plantas ornamentales como ciruelos, cerezos, durazneros y otros

CAPÍTULO
3

Enfermedades
de las plantas
ornamentales

Capítulo 3

Enfermedades de las plantas ornamentales

Las enfermedades más comunes de las plantas ornamentales las producen, en su mayoría, hongos como oídio, mildiu, mancha negra, fumagina, etc.
Las enfermedades por bacterias y virus, y las abióticas o enfermedades no patógenas son de menor extensión. Las abióticas son producidas por problemas climáticos, como las quemaduras por el sol, las temperaturas altas o bajas con heladas, etc.

Descripción de las enfermedades más comunes

Para poder combatir las enfermedades más comunes de las plantas ornamentales, es necesaria su correcta identificación.

Oídio o mal blanco

El agente causante del oídio en los rosales es el *Oidium leuconium* (sinónimo: *Sphaeroteca panosa var. rosae*). Este hongo desarrolla el micelio superficialmente sobre hojas nuevas, botones y pedúnculos florales y tallos jóvenes, cubriendo la superficie como un manto o fieltro blanco de aspecto harinoso.

Los primeros síntomas comienzan sobre las hojas como manchas aisladas, luego se deforman y se repliegan sobre sí mismas. Además pierden su color y adquieren un aspecto como nevado. La época de aparición es a comienzos de la primavera, con temperaturas superiores a los 10 °C, aunque la temperatura óptima para su desarrollo está entre 25 y 30 °C, mucha insolación y ambiente seco.

Se trata de una enfermedad muy peligrosa, pues arruina la floración al deformar las flores y disminuir la cantidad de botones florales, lo que desmejora el aspecto estético de la planta. El hongo del oídio permanece en la planta hasta el otoño siguiente sobre las espinas y las ramas del rosal. Lo favorece el calor durante el día y el descenso de la temperatura por la noche, mientras que la humedad lo perjudica. Si se lo realiza tempranamente, el control es eficaz, ya que los primeros síntomas pueden ser atacados en forma preventiva: se aplican polisulfuros de calcio en invierno, con la planta en reposo, sin hojas y después de las labores de la poda.

Otra forma de control es seleccionar variedades resistentes, como *Doucer Normadie de Mellian, Sommer Wind de Kordes* y otras. También en los rosales trepadores, enredaderas y miniaturas, se observa resistencia al oídio y a otras enfermedades. En tanto, conviene descartar las variedades más sensibles o susceptibles al oídio del rosal, como Anne Harkness, que se cubre totalmente de oídio en primavera.

También se lo combate con oxicarboxim o con oxicloruro de cobre, dos opciones distintas, pero eficaces.

Oídio inicial sobre hojas nuevas, que produce el efecto de acartuchamiento.

Oídio avanzado en una planta de rosal muy atacada.

Aspecto general grisáceo de un cantero de rosas atacado por oídio.

Rosal floribunda con ataque muy avanzado de oídio.

Malformación de las flores por efecto de un ataque de oídio.

Manifestación de oídio: polvillo harinoso sobre las hojas y los pimpollos.

Mildew

Otra enfermedad peligrosa es el *mildew,* mildeu o mildiu, provocada por el hongo *Peronospora sparsa* y muy común en rosales de cultivo bajo vidrio. La aparición del hongo ocurre con temperaturas mayores de 15 °C. Su óptimo crecimiento es entre los 25 y 35 °C. Es un hongo más peligroso que el oídio, porque no es superficial, sino que penetra en la planta y se instala. Este hongo ataca sobre todo a rosales de invernáculo, y produce en ellos una gran caída de hojas. Se inicia con la aparición de manchas pardo claro, rodeadas de un borde violáceo. El mayor desarrollo ocurre en veranos lluviosos y con temperaturas mayores de 25°C.

El hongo penetra por la hoja mediante filamentos y, ayudado por la humedad, se introduce en la planta. Por ese motivo, en veranos calurosos, no conviene regar por aspersión para no crear el ambiente propicio para su desarrollo. Se puede controlar tempranamente la enfermedad mediante fungicidas cúpricos, como el caldo bórdeles, también se puede usar zineb, maneb, captan, mancozeb, folpet, etc. Las plantas atacadas presentan las hojas necróticas, decaimiento general, caída de hojas y otros trastornos graves.

Como medida preventiva, se deben pulverizar las plantas con fungicidas cada 10 ó 15 días.

En los cultivos bajo vidrio es muy común la pulverización preventiva con caldo bórdeles.

Manifestaciones de Peronospora sp.

Peronospora sp. *en un rosal miniatura.*

Peronospora sp.

Roya o herrumbre

El agente causante de la roya del rosal es el *Phragmidium subcorticium*. Su ataque es muy común en condiciones de humedad y temperatura, como los cultivos en invernáculos. En primavera, el micelio del hongo penetra en la planta, y ataca los órganos jóvenes como hojas, pecíolos y tallos. Aparecen en primer lugar pústulas de color anaranjado en el envés de las hojas; posteriormente, manchas parduscas; y luego, el enrollamiento y la caída de las hojas.

Las hojas que caen conservan el patógeno durante el invierno y sirven como fuente de contaminación en primavera.

La enfermedad aparece con temperaturas superiores a los 20 °C y humedad permanente, como impera en primavera y comienzos del otoño.

El control de la enfermedad se realiza preventivamente con productos azufrados, azufre en polvo (2 g por cada 100 m^2), polisulfuro de calcio (8 cm^3 por cada 100 m^2), tiofanato metil; también, folpet, carbendazim y triforine (2 g por cada litro de agua).

Roya o herrumbre en el rosal, en forma de pústulas rojizas en el envés de las hojas. En la cara superior, se corresponden con manchas amarillentas.

Mancha negra *(Diplocarpon rosae)*

La mancha negra es una enfermedad muy común y la más difundida entre los rosales, híbridos de té y floribundas. Se manifiesta como manchas negras de márgenes purpúreos y áreas amarillas alrededor, que se encuentran en la cara superior de las hojas. Aparece con temperaturas altas y humedad.

Se debe evitar pulverizar el follaje y hay que extraer y quemar las hojas enfermas, tanto de la planta, como las caídas en el suelo, porque el hongo de las hojas enfermas caídas asciende nuevamente a las plantas por las raíces y el agua de riego.

El control se realiza con fungicidas como propineb, triforine, azufre mojable, polisulfuro de calcio o benomil, todas posibles variantes para su tratamiento.

Manifestaciones de mancha negra sobre la cara superior de las hojas.

Mancha negra en estado avanzado.

Tizón *(Botrytis cinerea)*

Esta enfermedad penetra en el rosal por las heridas o se presenta en las plantas muy envejecidas. Aparece con temperaturas mayores de 20 °C y ambientes húmedos.

Se manifiesta mediante manchas pardas en las hojas; sobre los pimpollos aparece un moho que da paso al desecamiento y detiene el desarrollo de la flor.

Es muy difícil de controlar. Pueden aplicarse pulverizaciones preventivas con caldo bordelés, zineb, captan y otros, que preservarán las plantas del ataque del hongo.

Pimpollo no abierto por Botrytis sp.

Presencia de Botrytis sp.

Fumagina u hollín

El hongo de la fumagina aparece con los ataques fuertes de los pulgones en primavera. Se instala sobre las secreciones azucaradas que producen algunos insectos y cochinillas, y cubre la superficie con un polvo negro parecido al hollín. El control de la fumagina se lleva a cabo cuando se combaten los pulgones, las cochinillas y las moscas blancas responsables de la producción de melaza, de la que se alimenta este hongo.

Hongo pulverulento negro, sobre la cara superior de las hojas de un rosal.

Ataque de hongos en césped.

Césped atacado por hongos, que muestra un efecto de peladura.

Control de las enfermedades con fungicidas

El control de la enfermedad con fungicidas puede realizarse de varias maneras, según las etapas de la enfermedad:

- Cuando el ataque es muy leve o no existente, la superficie de las hojas se pueden cubrir con **fungicidas de contacto** para que los hongos no puedan desarrollarse e introducirse en los tejidos. Los fungicidas de contacto previenen a la planta del ataque de los hongos, pero no pueden actuar una vez que el hongo se ha introducido en los tejidos. Estos fungicidas actúan matando el micelio o las esporas del hongo por contacto con ellas.

- Cuando ya la enfermedad está instalada, entonces se deben aplicar **fungicidas sistémicos**, que circulan por la planta, desde cualquier punto en que se apliquen, en el follaje o en las raíces, es decir que atacan al hongo en cualquier lugar de la planta en el que se encuentre. El fungicida se traslada en sentido ascendente, y es absorbido por la planta.

Fungicidas de contacto	Enfermedades que controlan
Clorotalonil	mildiu, antracnosis.
Oxicloruro de cobre	antracnosis de la vid y otras plantas, viruela del clavel, podredumbre de los pimpollos *(Botrytis)* en rosal.
Caldo bordelés	preventivos después de la poda, tizón del tallo en rosal.
Mancozeb	antracnosis del rosal, mancha negra-rosa.
Maneb	mildiu, antracnosis del rosal, podredumbre de los pimpollos *(Botrytis)* en rosal.
Thiram	mal de los almácigos (Fusarium), roya del clavel, podredumbre de los bulbos, podredumbre gris de la vid *(Botrytis)*.
Vinclozoline	podredumbre gris *(Botrytis)*.

Fungicidas sistémicos	Enfermedades que controlan
Derivados de los bencimidazoles	se utilizan para las enfermedades de la raíz o el cuello, deben ser aplicados en el suelo con bastante cantidad de agua porque son algo insolubles.
Benomil	hongos del suelo.
Fusarium	podredumbre gris de la vid, de la frutilla y de otros frutos, oídio del duraznero
Inhibidores de esteroles Propiconazole	oídio de las gramíneas (césped).
Triadimefon	roya de las gramíneas (césped), oídio del duraznero, oídio de la vid, oídio del manzano.
Triadimenol	mal de los almácigos, tratamiento de semillas de césped, carbón de las gramíneas.

Entre las medidas de protección existen diferentes fungicidas, que actúan como acción preventiva.

Medidas de protección		
Grupo de los compuestos inorgánicos del cobre	Grupo de los compuestos inorgánicos del azufre	Grupo de los compuestos orgánicos
Caldo bórdeles	Polisulfuro de cobre	Mercuriales orgánicos
Pasta bordelesa	Polisulfuro de bario	Tiocarbamatos
Oxicloruro de cobre	-	Órgano-cúpricos
Carbonato de cobre	-	Órgano-estañados
Sulfatos básicos	-	Compuestos aromáticos
Sulfatos básicos	-	Compuestos no aromáticos

Fuente: Patología vegetal, *de Clotilde Jauch. Buenos Aires, El Ateneo, 1980 (páginas 238-239).*

Acción preventiva y acción curativa

La acción preventiva se realiza en dos áreas: el manejo del cultivo y la elección del tratamiento adecuado.

1. ***Manejo del cultivo:*** regulando los riegos, la exposición solar; extrayendo hojas enfermas, dudosas, amarillas; cuidando el estado del suelo; la correcta fertilización; la iluminación correspondiente; etc.

2. ***Eleccion del tratamiento:*** terápicos de acción preventiva, de los cuales los compuestos de cobre y los polisulfuros de calcio se usan desde hace mucho tiempo (unos 100 años) y se siguen utilizando, lo que ratifica su acción positiva contra el ataque de los hongos.

La acción curativa consiste en la aplicación de fungicidas o de insecticidas que destruyen al agente patógeno, por ejemplo, benomil, bromuro de metilo, aldicarb, formaldehído y cloropicrina (para el tratamiento del suelo).

Identificación de los hongos patógenos y su control

A continuación, se presenta nuevamente la información en forma de cuadro para su rápida consulta.

Reconocimiento y control de hongos patógenos

Organismo	
Antracnosis: *Colletotrichum* sp. y *Gloeosporium* sp.	**Especies atacadas** *Aglaonema,* agaves, *dieffenbachia*, ficus, rosales, palmeras, *philodendron* y otras.
	Características Manchas grandes irregulares de color marrón, en hojas adultas. Bordea la parte afectada un área verde amarilla, próxima a la zona sana. Las hojas se secan y caen. Ataca en primavera y verano, con tiempo húmedo.
	Daños y control *Control preventivo:* retirar las hojas con signos exteriores dudosos y quemarlas. *Tratamiento preventivo:* caldo bórdeles cuando aparecen las primeras hojas, repetir cada 12-15 días. *Dosis:* 8 g/litro de agua. *Control químico:* se basa en la aplicación de fungicidas en otoño y primavera. Hay varios, por ejemplo: benomil, 2,5 g/litro de agua, captan, 1-2 g/litro de agua, clorotalonil, 1,5 g/litro de agua, mancozeb, 2 g/litro de agua, maneb, 2 gr/litro de agua.

Organismo	
Botritis: *Botrytis cinerea.*	**Especies atacadas** Azucena, afelandras, begonias, cerezos, ciclamen (muy común), claveles, dracaenas, durazneros, rosales, orquídeas.
	Características Bordea las hojas una mancha amarillo pardusco. Luego avanza a un color pardo verdoso, que se extiende a tallos y flores, con un moho grisáceo que lo acompaña. Prospera a temperaturas de entre 15 y 20 °C y con humedad elevada. Otoños lluviosos y primaveras cálidas y húmedas, favorecen su desarrollo.
	Daños y control El más importante parásito en heridas y órganos envejecidos, marchitos, etc. Origina podredumbre de pimpollos. Causa la muerte en hojas y bulbos. *Control preventivo:* airear y disminuir la densidad de plantación. Regularizar la humedad. Quitar partes marchitas y viejas. Evitar heridas. *Tratamiento preventivo:* se pueden usar fungicidas como enomil, o captan, o zineb, o propineb. *Tratamiento curativo:* benomil, es curativo y preventivo a la vez (en dosis distintas). *Dosis:* 2,5 a 4 g/litro de agua.

Organismo	
Enfermedad de los almácigos: *Pythium sp., Fusarium sp., Alternaria, Rhizotocnia, Sclerotinia, Phytophtora* y otros.	**Especies atacadas** Ataca todos los almácigos de plantas hortícolas, ornamentales, forestales, etc. Muy común en siembras bajo vidrio, ayudados por la temperatura y humedad.
	Características Los hongos *Phytium sp., Rhizotocnia sp., Fusarium sp. y Alternaria*, que se encuentran en el suelo, atacan los almácigos de ornamentales, primero sobre las raíces y luego el cuello de las plántulas recién nacidas. El ataque es rápido, tras formarse un pequeño foco, se extiende para cubrir toda la terrina del almácigo.
	Daños y control Produce podredumbre húmeda en el cuello de las plántulas, estas se caen, y su acumulación sobre el almácigo adquiere el aspecto de una mancha aceitosa oscura. *Medidas preventivas:* controlar luz, calor y humedad. *Aplicar:* captan al almácigo, en riego de 2 g/litro de agua, o zineb, 2-2,5 g/litro de agua. Desinfección del suelo e implementos, mediante el vapor de agua a 100°C o con formaldehído. *Control químico:* desinfección del suelo con formaldehído, cloropicrina, bromuro de metilo (gas).

Reconocimiento y control de hongos patógenos

Organismo	
Fumagina: *Capnodium sp.*	**Especies atacadas** Son muchas las plantas atacadas, como evónimos, camelias, laurel, pitosporos, y otras de hojas gruesas, que prefieren zonas de poco sol.
	Características Aparece cuando la planta es atacada por cochinillas, pulgones y/o moscas blancas que segregan sustancias azucaradas, las cuales son alimento de los hongos de la fumagina.
	Daños y control *Control químico:* tratamientos contra cochinillas, moscas blancas y pulgones con dimetoato, pulverización 1,5 cm^3/litro de agua cada 15 días. Aceite mineral inv./ver. plantas con cochinillas, moscas blancas y pulgones.

Organismo	
Fusariosis: *Fusarium oxysporum.*	**Especies atacadas** Ataca especies como azucenas, bromelias, gladiolos, fresias, ciclamen, tulipanes, etc...
	Características Hongo que vive en el suelo y resiste la sequía o el exceso de agua, y en temperaturas de 25-26 °C. El ataque se inicia con una puntuación cobriza en la base de la planta, que se extiende a todas las hojas.
	Daños y control Produce podredumbre, las plantas se atrofian, hojas y raíz se marchitan por el extremo, los bulbos se pudren. *Control por métodos químicos y físicos:* desinfección del suelo con formaldehído, cloropicrina, bromuro de metilo, o pasaje de vapor de agua a 100 °C.

Organismo	
Mancha negra, mancha negra del rosal: *Diplocarpon rosae.*	**Especies atacadas** Ataca rosales en primavera, verano, otoño.
	Características Manchas redondeadas violáceas en la cara superior de las hojas, luego oscuras, márgenes ribeteados o rodeados de un halo amarillo, luego color normal. Manchas aisladas o confluentes. Los brotes se presentan decolorados y la corteza toma una coloración primero azulada, luego negruzca. Difusión rápida en condiciones de alta temperatura y humedad. *Temperatura óptima:* 24 °C.
	Daños y control Se produce la caída de las hojas atacadas, el debilitamiento general y una floración escasa y débil. Los tallos enfermos se ponen oscuros. *Control preventivo:* recoger las hojas caídas al pie de la planta, disminuir la humedad, proteger con clorotalonil, azufre mojable, o polisulfuro de calcio. *Control químico:* con los primeros síntomas, aplicar zineb, o captan, o mancozeb cada 15 días; maneb con la brotación cada 10 días o zineb; o ziram cada 15 días.

Organismo	
Mildew, mildeu o mildiu: *Peronospora sparsa.*	**Especies atacadas** Es una enfermedad de los rosales bajo vidrio.
	Características Manchas de color café en el haz con el borde violáceo, pequeñas vellosidades en el envés. La humedad en exceso y una temperatura de 10 a 25 °C son factores muy favorables para el desarrollo de la enfermedad.
	Daños y control Las plantas se desfolian y, en ataques graves bajo vidrio, se pierden todas las hojas. *Control químico:* con los primeros síntomas y cada 15 días, fosetil aluminio. *Otros:* propamicarb, zineb o maneb.

Reconocimiento y control de hongos patógenos

Organismo	
	Especies atacadas
	Ataca las plantas florales: dalia, rosa, azalea, caléndula, alegría del hogar, ciclamen, evónimo, crisantemo, roble, malvón, plátano.
Oídio, mal blanco o ceniza: *Oidium leucoconium* del rosal, *Sphaeroteca pañosa* y otros.	**Características**
	Hongo externo, que no penetra en la planta. Se conserva en invierno en las ramas. Cubre la cara superior de las hojas, tallos y flores nuevas con un polvo como fieltro. Es muy común en rosales blancos. Los ataques más graves ocurren en épocas secas y frescas, con buena insolación y más de 10 °C de temperatura. Óptimo desarrollo, en primavera con 20 °C.
	Daños y control
	Produce graves daños en ataques masivos, con pérdida de las flores. Enrula y deforma las hojas. *Control preventivo:* separar las plantas, disminuir la densidad para permitir mayor aireación. Realizar carpidas. *Control químico:* después de la poda: polisulfuro de calcio. Al comienzo de la brotación: azufre, o fungicidas como maneb, triforine, zineb, benomil, propineb, carbendazim. Habrá que aplicar y observar los resultados para la elección del producto.

Organismo	
	Especies atacadas
	Ataca los rosales, provocando debilitamiento general por la caída de las hojas.
Roya o herrumbre y roya del rosal: *Phragmidium mucronatum* o *Phragmidium subcorticium.*	**Características**
	El ataque aparece con temperaturas de más de 20 °C. Se propaga en primavera y verano. Peligrosa, penetra los tejidos por la superficie de las hojas, pecíolos, tallos, y forma pústulas naranjas de 1 mm de diámetro en la cara inferior, que se rompen liberando un polvo amarillo anaranjado.
	Daños y control
	Las hojas amarillean y caen. Quitar las hojas atacadas, quemando las infestadas y caídas. *Control preventivo:* aplicar maneb desde que se inicia la brotación y cada 15 días. *Control químico:* una vez instalados los primeros síntomas, aplicar fungicidas como mancozeb o triforine y repetir. También otros como oxicloruro de cobre en la brotación y clorotalonil en los comienzos.

Organismo	
	Especies atacadas
	Ataca los rosales, dalias, gerberas, crisantemos y otras.
Marchitamiento del rosal: *Verticillium albo-atrum.*	**Características**
	La infección se produce primero por las raíces, luego aparecen manchas pardas con borde amarillo a lo largo de las nervaduras de las hojas y los tallos toman un color oscuro, purpúreo. Comienza en los brotes, sobre todo en cultivos bajo vidrio.
	Daños y control
	Produce marchitamiento y defoliación rápida en verano, arrugamiento y amarillamiento de la corteza del tallo. No hay productos efectivos para esta enfermedad. *Control preventivo:* desinfección del suelo con carbendazim, benomil, dazomet y otros fungicidas. Comprar plantas sanas y resistentes.

Fuente: Guía Fitosanitaria de la Cámara de Sanidad Agropecuaria y fertilizantes (CASAFE).

Tratamiento de los hongos del suelo

Una actividad básica al iniciar un cultivo ornamental es preparar el sustrato para recibir las semillas, estacas, trasplantes, etc.

Para realizar la siembra es fundamental desinfectar el suelo, así se erradican los hongos patógenos como *Fusarium sp., Verticillium sp., Rhizotocnia sp.* y *Pythium sp.*, que producen el mal de los almácigos o *damping off,* destruyendo totalmente el almácigo de siembra, pues atacan las plántulas a nivel del cuello.

Como consecuencia, estas se vuelcan y forman una mancha de apariencia aceitosa y oscura sobre la superficie, como ya se describió en el cuadro anterior.

Esta desinfección no solamente libera al suelo de los hongos patógenos, sino también de nematodos y semillas de malezas.

Métodos de control

1. Aplicación de calor.

2. Riego con productos químicos (formaldehído, cloropicrina, bromuro de metilo etc., *incluye también a los fungicidas).*

1. Aplicación de calor.

a. Empleo de agua caliente: antiguo método que se usaba para el tratamiento de cajones, terrinas, implementos, etc., los que se sometían a agua hirviendo, pero es un método engorroso.

b. Empleo de vapor: este método consiste en la introducción de vapor de agua hirviendo a través de una masa o volumen de tierra. Se utilizan para ello dos recipientes con capacidad para unos 200 litros, uno sobre el otro. En el de arriba se coloca la tierra ligeramente húmeda y, en el de abajo, el agua que se calentará hasta los 100 °C. Para que el vapor ascienda hasta el primer recipiente con la tierra, se practica en la base de este una serie de orificios que se cubren con una arpillera para evitar que la tierra se filtre. Una goma o cubierta de auto sellará las uniones de ambos tachos. Se coloca el recipiente inferior con el agua junto al fuego y, cuando el agua comienza a hervir, el vapor asciende, pasa por los orificios y sale por la superficie de la tierra, en el tacho superior. En este momento se cuenta el tiempo de acción del vapor, que debe ser de unos 20 minutos. La temperatura a la que pasa el vapor por la tierra asciende a unos 78 °C aproximadamente, por ello este tratamiento (pasteurización) no destruirá a las bacterias benéficas (como las del nitrógeno), sino solamente a las bacterias y los hongos del *damping-off* o enfermedad de los almácigos.

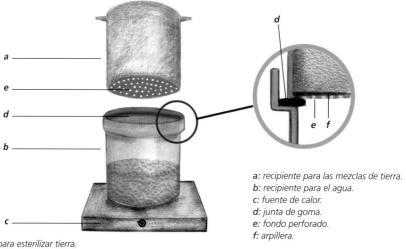

a: recipiente para las mezclas de tierra.
b: recipiente para el agua.
c: fuente de calor.
d: junta de goma.
e: fondo perforado.
f: arpillera.

Aparato para esterilizar tierra.

Actualmente existen aparatos para la vaporización del suelo, como las rejillas de caños vaporizadores usadas en los invernáculos, que se colocan en mesadas especiales donde se ubica la tierra. También existen calderas para el calentamiento del agua, vaporizadores eléctricos, etc

Carretilla donde se coloca la tierra que se va a tratar sobre una rejilla de caños cribados desde donde se emite el vapor de agua.

Cajonera de tratamiento de la tierra y cañerías para la emisión de vapor de agua.

2. Riego con productos químicos.

a. **Formalina:** con una concentración del 40% de formaldehído. Solución acuosa de formaldehído al 1 ó 2 %, para riegos de la tierra. ***Dosis:*** 25 l de solución acuosa de *formaldehído* sirven para regar un volumen de 1 m3 de tierra, ya sea puesto en una pila o montón (para usar en terrinas, almácigos y siembra de semillas), o extendido sobre la superficie del terreno. Elimina hongos patógenos y semillas de malezas. Se debe esperar 3 días para usar el suelo o el sustrato tratado.

b. **Bromuro de metilo:** solución muy tóxica, inodora e incolora, que se expende en garrafas metálicas y a temperatura ambiente; cuando sale de la garrafa, se gasifica. ***Dosis:*** 50 g por cada m2 de tierra. Se aplica cubriendo la zona a tratar, mediante carpas de material plástico. Es muy eficaz, elimina hongos patógenos, nematodos y semillas de malezas.

Enfermedades no parasitarias o abióticas

Se trata de una serie de problemas derivados de los desequilibrios climáticos, de la composición del suelo y/o sustrato, del mal manejo de las herramientas, del mantenimiento incorrecto, entre otras causas.

Desequilibrios climáticos

Luz: los golpes de sol producen quemaduras y los excesos de iluminación, amarillamiento; por el contrario, cuando la luz es insuficiente, las hojas pierden color y caen.

Temperatura: sus fluctuaciones (sobre todo en invierno cuando los cambios suelen ser bruscos entre el día y la noche) producen flacidez, caída repentina de hojas, marchitamiento. Las altas temperaturas, combinadas con riego insuficiente, también causan marchitamientos. Las heladas tardías en primavera ocasionan muerte de los tejidos.

Viento: cuando son secos y cálidos, pueden determinar marchitamiento y deshidratación de la planta y del suelo: las plantas dejan de estar erguidas, se vuelcan, pierden turgencia, las hojas quedan lánguidas y sin brillo. Los vientos fuertes hacen caer ramas, lo que ocasiona diversas heridas.

Nieve y granizo: ocasionan defoliación y amarillamientos.

Humedad: las plantas de climas cálidos y húmedos son muy sensibles a la falta de humedad, lo que da como resultado hojas con puntas y bordes pardos por la deshidratación.

Acción del suelo

Sales: el exceso de carbonato de calcio y de sales de sodio como los sulfatos y los cloruros de sodio origina clorosis e intoxicaciones en las plantas acidófilas, es decir, que necesitan suelos ácidos, como las azaleas, camelias y otras.

Características químicas: la reacción del suelo (pH) puede ser ácida o alcalina, pero la mayoría de las plantas vive en suelos de pH neutro y una minoría en suelos de pH ácido, por ejemplo, las azaleas, muguet y otras. Ante fluctuaciones leves, puede notarse una merma en el crecimiento y un amarillamiento general de las plantas, porque la reacción del suelo determina la posibilidad de encontrar los nutrientes bajo formas de sales solubles y asimilables por las plantas o, por el contrario, encontrar formas complejas insolubles no aptas para las plantas, como los fosfatos tricálcicos insolubles, que se encuentran en exceso en los suelos con pH alcalinos. También los compuestos del aluminio en suelos ácidos son muy tóxicos para las plantas.

Características físicas: los suelos compactos promueven la muerte de las raíces por asfixia, por los encharcamientos de agua producidos y la falta de drenaje. Cuando el agua no drena adecuadamente ni puede ser eliminada del suelo, las raíces se asfixian y las plantas se secan. El agua estancada es propicia para el desarrollo de los hongos de la podredumbre radicular, que producen en la planta un color amarillento general y después se secan.

Enfermedades por carencias de nutrientes

Para su buen desarrollo, las plantas necesitan diversos nutrientes que hacen un total de 13 elementos (se considera al cloro como elemento menor).

Los nutrientes están clasificados como macronutrientes o mayores; micronutrientes, trazas o elementos menores y elementos secundarios. Su carencia puede generar en las plantas distintas enfermedades.

El calcio y el magnesio se aplican en labores de tratamientos del suelo, como el encalado en lugares donde se necesita cambiar el pH, y el azufre se presenta en muchos fertilizantes comerciales como los superfosfatos. Pero ninguno de los tres es crítico desde el punto de vista nutritivo, salvo en algunos casos, por eso reciben una atención secundaria como fertilizantes.

Los macronutrientes

Son el nitrógeno, el fósforo y el potasio, básicos en la nutrición de las plantas porque intervienen en las funciones más importantes: la fotosíntesis, la respiración, la floración y la fructificación, entre otras. Son los elementos que las plantas utilizan en mayor cantidad, los más requeridos para su nutrición, y se consumen en mayor cantidad que el resto de los nutrientes.

- **Nitrógeno:** este elemento forma parte de la composición de la clorofila, por eso incide en el tamaño, el color y el brillo de las hojas, así como en el crecimiento, ya que entra en la composición celular de los tejidos. Su carencia produce un amarillamiento general, hojas más pequeñas y sin vigor, entrenudos más largos, lento y escaso crecimiento. La planta se ve decaída.

- **Fósforo:** su falta genera una baja en el crecimiento y, en casos más graves, hasta su detención. También se reduce la floración y el desarrollo radicular. Por eso, para ayudar en el desarrollo de las raíces, se lo utiliza en la preparación de los almácigos de siembra y en la plantación. En plantas jóvenes, la falta de este nutriente se presenta en las hojas como una coloración verde oscuro con bordes purpúreos, por ejemplo, en los cereales.

- **Potasio:** este elemento tiene un efecto de equilibrio en relación al nitrógeno. Incrementa el espesor de las paredes celulares y la resistencia del tallo a la caída, muy importante en el caso de las gramíneas (cereales). Su falta se manifiesta por un aspecto de hojas quemadas, amarillamiento de las puntas y bordes de las hojas inferiores, que caen enrolladas. En el malvón, se manifiesta en las hojas viejas, inferiores, con un tono amarillo bronceado en los bordes y en la punta. Déficit muy común de observar.

Los micronutrientes

Son aquellos que las plantas utilizan en menor cantidad, pero son igualmente importantes ya que intervienen en numerosas reacciones enzimáticas de las plantas. Por ejemplo, zinc, manganeso, molibdeno, cobre, hierro y boro.

- **Zinc:** cuando falta, las hojas se ven más reducidas y amarillentas.

- **Hierro:** la carencia de este elemento suele observarse en plantas que crecen en suelos calcáreos, ya que el hierro abunda en los suelos ácidos y ligeramente ácidos. Las señales de su ausencia son muy características: las nervaduras se presentan verdes y las hojas amarillo claro, sobre todo se observa muy bien, en las hojas más jóvenes. Este síntoma se llama "clorosis internerval", porque ocurre entre las nervaduras de las hojas, como se ve en el jazmín del cabo, la camelia, las azaleas y los cítricos.

- **Manganeso:** los síntomas de su falta son semejantes a los de la clorosis férrica.

Los elementos secundarios

También son elementos muy importantes, ya que la planta los necesita en mediana cantidad. Son el magnesio, el calcio y el azufre. El magnesio forma parte de la estructura química de la clorofila, el calcio influye en el crecimiento de la planta y el azufre interviene en la floración.

Se encuentran siempre presentes en los tratamientos de suelos y en los terápicos, como los polisulfuros de calcio y azufre; y en los fertilizantes y enmiendas, como los carbonatos de calcio, los superfosfatos de calcio, los sulfatos de amonio, etc.

El magnesio va incorporado en las fórmulas completas y complejas de los fertilizantes granulados como el nitrofoska, fórmula floral: 12 (nitrógeno), 12 (fósforo), 17 (potasio) 2 (magnesio).

- *Magnesio:* como se dijo, este elemento se encuentra en la composición de la clorofila, por eso cuando falta se produce una decoloración de las hojas, que adquieren cierta coloración purpúrea. Los bordes y las puntas de las hojas se ponen amarillos, pero las nervaduras permanecen verdes. Aparece primero en las hojas inferiores.

- *Calcio:* cuando las hojas nuevas se ven retorcidas y amarillentas, y su crecimiento es lento, la causa es la falta de calcio.

- *Azufre:* como ocurre con el nitrógeno, si falta azufre se produce un amarillamiento general de la planta.

Enfermedades por labores culturales

Las diversas acciones que se realizan sobre las plantas del jardín pueden ocasionar en ellas daños y hasta la transmisión de enfermedades. El cuidado de las herramientas y su higiene, entre otras medidas, evitarán contagios y deterioros.

Las labores culturales y sus daños potenciales

Causas	Poda	Herramientas, implementos	Tutoraje, sogas, estacas
DAÑOS POTENCIALES	Heridas.	Heridas.	Heridas.
	Desgarros.	Transmisión de enfermedades.	Estrangulamientos.
	Podredumbres. Gomosis.	Rupturas.	Problemas de crecimiento.
	Arranques.	Desgarros.	Enfermedades.

Efectos de una poda severa, pérdida del vigor y de la forma.   Poda drástica.

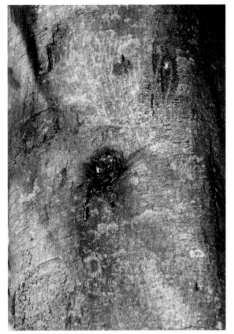

Gomosis en un árbol afectado por podas excesivas.

Respuesta de un árbol de tipa (Tipuana tipu), *ante una poda severa.*

Plantas acuáticas: plagas y enfermedades

En América del Sur, las plantas acuáticas se desarrollan en forma espontánea en las lagunas templadas de poco caudal de agua, donde se pueden arraigar fácilmente. Por su rusticidad, se transforman en malezas y por eso, cuando se tienen lagunas artificiales, se deben controlar los desarrollos desmedidos de algunas de ellas, por ejemplo, los camalotes, las lentejas de agua, los repollitos, la saeta o sagitaria, los juncos, etc.

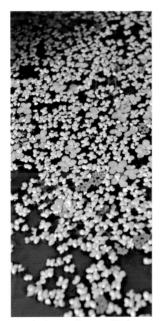

Lenteja de agua (Lemna gibba).

Lentejón (Limnobium stolonifera).

Pasto camalote (Panicum elephantipes).

El cuidado del estado sanitario se realiza en las plantas acuáticas cultivadas como los nenúfares tropicales y los nenúfares rústicos de climas templados. Son plantas asiáticas que requieren un cuidado especial para su cultivo. Se deben cultivar solas en el estanque, en recipientes con tierra fuerte (franco-arcillosa con algo de estiércol), cubierta con una malla de alambre para evitar la pérdida de suelo.

Requieren mucha luz, exposición al norte, noroeste, con pleno sol y temperatura templada. Evitar la aplicación de agroquímicos en cantidades que aumenten la concentración de sales y enturbien el agua, por lo cual deben colocarse fertilizantes de liberación lenta, en bolsitas ubicadas cerca de las raíces. En invierno, los nenúfares tropicales requieren invernáculos, porque mueren con las heladas. En los cultivos bajo vidrio, en invernáculo con altas temperaturas del agua y luz, se puede observar la existencia de algas verdes (clase de las clorofíceas), que compiten por el espacio con los nenúfares y a los que impiden su crecimiento. El uso de fertilizantes contribuye al desarrollo de las algas en forma explosiva. Cuando en el estanque se tienen peces, se debe cuidar el pH del agua —que debe ser neutro— y la presencia de sales.

Las enfermedades de las acuáticas se tratan retirando las plantas enfermas del estanque y aplicandoles el producto adecuado. Luego que sanan, se incorporan nuevamente, porque se debe cuidar la pureza del agua y si tienen peces, la vida de estos.

Nenúfares rústicos.

Detalle de una masa gelatinosa de algas verdes, flotando sobre la superficie del agua de un estanque.

Hojas de Nymphaeas sp. *(nenúfares) atacadas por hongos.*

Nenúfares tropicales.

CAPÍTULO
4

Control
de malezas

Capítulo 4 · Control de malezas

Las malezas constituyen una plaga para las plantas de cultivo. Son transmisoras de otras plagas y de enfermedades, y compiten con las otras plantas y el césped por los nutrientes y el agua del suelo, provocando problemas.

Maleza, plaga de los jardines

Las más peligrosas son las de crecimiento basal pegado al suelo, en forma de roseta, y también las que tienen rizomas, raíces gemíferas, etc., ya que son muy invasoras e impiden un desarrollo normal del césped de los jardines. Exigen un continuo mantenimiento durante todo el año, ya que obran de diversa forma, sean anuales o perennes, herbáceas o leñosas.

Malezas de ciclo anual: son las que desarrollan su ciclo vital en unos 9-10 meses, crecen, florecen y fructifican.

Malezas de ciclo perenne: son aquellas que primero se desarrollan durante un año y después florecen, permaneciendo en el terreno por periodos mas o menos largos ya que se multiplican por medio de sus raices estoloniferas, rizomatosas, etc.

Identificación y control de malezas

Especie	Características	Daños y control
Carduus nutans sub especie *microlepis.* "Cardo"	Anual, que llega a medir de 0,80 m a 1 m de altura una vez desarrollada. En la primera época es una mata espinosa pegada al suelo. Florece en primavera / verano.	Muy invasora del césped. Quita luz y uniformidad. Se controla con herbicidas del tipo sistémicos, como el 2-4D y MCPA (*).
Coronopus didymus. "mastuerzo"	Anual. De 10 a 20 cm de altura, muy ramificada, con tallos rastreros verde brillante. Hojas bipinnatisectas y flores blancas perfumadas. Florece a fines de invierno. Muy común en huertas y jardines.	Matas pegadas al suelo, que causan daños al césped. *Control preventivo:* evitar que semille en los terrenos linderos, para que no se propague. *Control químico:* 2-4D y MCPA.
Dipsacus fullonum "Cardencha"	Bianual. De hasta 1,5 m de altura en etapa adulta. Hojas basales en roseta, agudas y dentadas. Lanceoladas y opuestas. Tallos erectos. Frutos espinosos.	Daños al césped, destruye la uniformidad y compite por la luz y la humedad. *Control preventivo:* limpiar el terreno, evitar que semille. *Control químico:* 2-4D y MCPA.
Gamochaeta cuartata "Vira vira"	Perenne de suelos bajos, con hojas basales enteras, pegadas al suelo color verde grisáceo.	Invade el suelo del césped, quitando luz, agua y uniformidad. *Control químico:* 2-4D y MCPA.
Matricaria chamomilla "Manzanilla"	Anual. De follaje fino verde claro, forma matas extendidas sobre el suelo. Florece en primavera. Es una planta utilizada como medicinal.	Quitan luz y humedad al césped. *Control preventivo:* limpieza de terrenos vecinos, carpidas. *Control químico:* 2-4D y MCPA.

Identificación y control de malezas

Especie	Características	Daños y control
Melilotus indicus "Trébol de olor"	Anual, hojas trifoliadas, muy común en el césped de los parques y jardines. Florece en primavera / verano.	Quita luz, agua y espacio al césped, siendo muy resistente pero puede controlarse bien cuando es joven, *C. químico:* 2-4D y MCPA.
Portulaca oleracea "Portulaca verdolaga"	Anual, rastrera. De hojas crasas y tallos carnosos verde vivo con flor violacea. Florece en primavera / verano.	Invasora en suelos de viveros y jardínes. *Control preventivo:* evitar que semille. *Control químico:* 2-4D y MCPA.
Sonchus oleraceus "Cerraja"	Anual. De 30 a 80 cm de altura, con látex. Hojas inferiores pinatífidas, de bordes algo dentados, el lóbulo terminal es de mayor tamaño. Se multiplica por semilla. Florece en verano.	Compite por la humedad del suelo, la luz y los nutrientes. Invasora. *Control preventivo:* limpieza de terrenos vecinos. *Control químico:* 2-4D y MCPA.
Stellaria media "Caa-piqui"	Perenne. De mata floja y muy resistente a los herbicidas. Posee flores blancas. Florece casi todo el año. Es utilizada como medicinal.	Cubre el suelo, quita luz y humedad. Semilla muy abundantemente. *Control preventivo:* limpieza de terrenos vecinos. *Control químico:* 2-4D y MCPA.
Sylibum marianum "Cardo asnal "	Anual. Crece hasta 1,2 m de altura, muy robusta, hojas verdes marmoreadas de blanco y espinas aceradas, flores violáceas. Forma rosetas basales espinosas que cubren el suelo. Florece en primavera.	Maleza invasora, de dificil control. *Control preventivo:* limpieza para evitar que semille en terrenos vecinos. *Control químico:* 2-4D y MCPA.
Taraxacum officinale "Diente de león"	Perenne. Raíces fuertes pivotantes y hojas basales en roseta, muy pegadas al suelo, de flores amarillas. Florece en invierno.	Difícil de extraer por sus raíces. Produce daños al césped. *Control químico:* 2-4D y MCPA.
Trifolium repens "Trébol blanco"	Perenne. Muy común en suelos de jardines. Tallos estolonifeross, hojas trifoliadas. Flores blancas en glomérulos. Florece en primavera.	Maleza invasora presente en el cesped. *Control químico:* 2-4D y MCPA y Dicamba.

(*) 2-4D (2-4-dicloro fenoxiacético) y MCPA (sal sódica del ácido 2 metil-4-clorofenoxiacético): herbicidas del tipo hormonal que actúan sobre el crecimiento de las plantas, de acción sistémica y selectiva sobre malezas de hoja ancha. Ambos tienen estructura química similar a la de las hormonas de las plantas y, usado en dosis mayores a la de las hormonas se transforman, de una sustancia estimuladora del crecimiento, en un biocida. Su acción es sistémica, porque se trasladan por toda la planta mediante la circulación de la savia; y selectiva porque actúan sobre las malezas de hoja ancha.

Coronopus dydimus *"mastuerzo "*.

Dipsacum fullonum.

Carduus nutans *subespecie* microlepis.

Sonchus oleraceus *"cerraja"*.

Geranium molle *(alfilerillo)*.

Gamochaeta cuartata *(vira-vira)*.

Stellaria media (caa-piqui).

Carduus acanthoides.

Terreno invadido por Trifolium repens.

Taraxacum officinale *"diente de león". Fruto caracterís-tico plumoso que se desintegra con el viento y disemina las semillas.*

Rumex crispus *(lengua de vaca).*

Medidas para luchar contra las malezas

El control de malezas puede realizarse tanto en forma preventiva, anticipándose a su crecimiento, como destructiva, en el caso de que ya hayan invadido el jardín.

Preventivas

• En la siembra del césped, revisar las semillas para que no haya mezcladas semillas de malezas.

• Usar tierra limpia y de buena calidad al preparar los canteros florales y la carpeta del césped.

• Desmalezar los terrenos vecinos y mantener el pasto bien cortado, para impedir la posibilidad de floración y, así, la producción de semillas de malezas.

• Mantener limpios herramientas e implementos para desmalezar los canteros y pequeños espacios.

• Labrar el terreno en verano dejando los rizomas, los bulbos y las raíces de las malezas al descubierto, para que se deshidraten con el sol y mueran. Repetir en invierno, para exponerlos a la acción de temperaturas bajas, heladas, etc.

Vista de un césped bien cuidado.

Destructivas: mecánicas

• En canteros de poca extensión, extraer las malezas con herramientas como azadas, azadines, escardillos, etc.

• Utilizar *mulching*, o capa protectora, que puede ser de compost, mantillos, pajas, estiércoles secos, y hasta nailon negro sellado con tierra en el borde para que no se vuele (usado para varios objetivos como quitar la luz y evitar la germinación de las malezas, conservar la humedad del suelo y dar cierto calor a las raíces). El término *mulching* designa a las capas de hojas y residuos que se encuentran en los bosques en distintas etapas de descomposición, y que tiene distinto espesor según el clima (templado o frío): son más pequeñas cuando las altas temperaturas aceleran los procesos de descomposición.

- Colocar barbechos, residuos verdes, plantas secas, mantillos de jardín, compost, sobre el terreno, para quitar la luz e impedir la germinación de las malezas (funciona como un *mulching*).

- Cubrir con una lámina de nailon negro por sectores, para quitar la luz y evitar la germinación de las malezas.

- En terrenos de mayor superficie como carpetas de césped, canchas deportivas, etc., usar maquinarias como el *rototiller* que remueven y extraen las malezas.

Mulching *de nailon negro.*

Mulching *de corteza de árboles de madera dura. Conserva el calor, la humedad y evita la proliferación de malezas al quitar la luz.*

Destructivas: químicas

- Es necesario observar muy bien las malezas para identificarlas, ya que se deben elegir los herbicidas correctos; los selectivos, como 2-4D y MCPA actúan sobre malezas de hoja ancha. Para cualquier tipo de maleza, utilizar herbicidas totales o no selectivos como glifosato: su acción biocida se aplica para cualquiera. Antes de que crezcan las malezas, se aplican en el césped herbicidas preemergentes, como pendimetalin. Los herbicidas posemergentes (2-4D y MCPA), por su parte, se aplican cuando ya han salido las malezas y tienen suficiente follaje.

Algas invasoras en los estanques

Cuando se cultivan nenúfares tropicales *(Nymphaeas sp.)* bajo vidrio, se presentan problemas de competencia con las algas verdes (clase de las clorofíceas).

Estos organismos adquieren gran desarrollo en lugares luminosos, con temperaturas templadas y aporte de nutrientes, como es el ambiente de un estanque, y llegan a constituir grandes masas verdes gelatinosas que dañan a los nenúfares al ocupar su espacio. Para controlar el crecimiento desmedido de las algas, se debe proporcionar al estanque cierto grado de media sombra con plantas de mayor altura, lo que limitará la cantidad de aporte de nutrientes. Las plantas altas, como bambúes, *Iris kaempferi* y otras, se pueden ubicar en los bordes, de modo que proyecten una media sombra en el centro del estanque.

El estanque, por otra parte, debería estar orientado hacia el este noreste, que es una ubicación menos cálida que la oeste noroeste. Las algas se pueden extraer enrollándolas alrededor de un palo o por medio de coladores, tamices, redes etc. Periódicamente, el estanque debe vaciarse y limpiarse en forma adecuada, para volver a colocar las plantas acuáticas en agua limpia.

Otra manera de controlar el crecimiento de las algas es colgando en el estanque algunas bolsitas con turba (si es que no hay peces), que lograrán una reacción levemente ácida.

Masas gelatinosas que cubren la superficie del agua de un estanque bajo vidrio.

CAPÍTULO

5

Prevención de plagas y enfermedades

Capítulo 5 — Prevención de plagas y enfermedades

Las tareas de mantenimiento como el quite de hojas secas, enfermas, tallos en mal estado; también la poda adecuada; la aireación de la tierra, la observación de las plantas y la detección de los primeros síntomas, etc., son tareas culturales que constituyen la prevención de las enfermedades y de las plagas.

La importancia de mejorar el suelo

Como ya se ha dicho, es fundamental tener presente que se pueden evitar muchas enfermedades en las plantas si se practican las medidas preventivas.

Estas se orientan a reparar diversos aspectos del suelo, para lograr en él mejores condiciones físicas y químicas,

Las condiciones físicas se refieren tanto al tamaño de las partículas minerales que componen el suelo *(textura)*, como a la organización de las mismas en agregados *(estructura)*. Las condiciones químicas del suelo, por otro lado, están relacionadas con el contenido de sales, de nutrientes y materia orgánica, a la reacción o pH, etc.

Es importante evitar los suelos pesados, compactos, gredosos, que dificultan el crecimiento de la planta: impiden el drenaje, producen encharcamientos que desalojan el aire de los poros y provocan, finalmente, la pudrición de las raíces y un amarillamiento global en las plantas. En general, son ideales los suelos franco-arenosos, sueltos, fáciles de trabajar y con buen drenaje. Se denominan "francos" a aquellos suelos con proporciones ideales entre sus componentes minerales y orgánicos: arcilla, arena, limo, humus; por ejemplo: un 20 a 30% de limo, 30 a 35% de arcilla, un 45 a 50 % de arena, un 2 a 5% de materia orgánica. Estas proporciones son ideales y dan como resultado un suelo bien aireado (25% de aire en los poros) y con la humedad suficiente (25% de agua en los poros). Los suelos francos pueden variar según el predominio mayoritario de algún componente, así pueden ser *franco-areno-arcillosos, franco-arcillo-arenosos, franco-arcillosos, franco-arenosos o areno-francosos,* etc.

Por otro lado, las *enmiendas orgánicas* mejoran las condiciones químicas y físicas del suelo al intervenir en la formación de agregados (estructura granular) y al liberar ácidos orgánicos en el proceso de descomposición. Estos ayudan a solubilizar compuestos complejos y a transformarlos en nutrientes simples y accesibles a las plantas. La incorporación periódica de enmiendas orgánicas al suelo es una de las medidas preventivas que acompañan a otras labores culturales.

Medidas para reducir el riesgo de plagas y enfermedades

En lugares con suficiente luz, suelo bien preparado, suelto, con buena cantidad de materia orgánica, buen drenaje, riego periódico y fertilización, las plantas se encuentran en mejores condiciones para resistir el ataque de plagas y enfermedades. Además, tienen más reservas, más defensas, mejor sistema radicular y, por ende, mejor nutrición. Es posible reducir en forma significativa los riesgos para las plantas, si se tienen en cuenta algunas medidas desde el momento mismo de preparar el suelo para la plantación.

Prevención de enfermedades desde la preparación del suelo

Suelo	Prepararlo adecuadamente y mejorar el drenaje. Cubrir el suelo con acolchado de corteza de madera dura para proteger las raíces del frío y del calor. Este acolchado contribuye a mantener la humedad y también a controlar las malezas ya que, al quitarle la luz y el aire, evita su germinación. Al mismo tiempo constituye una forma de conservar el agua del suelo, al disminuir la pérdida de agua por evaporación.
Plantación	Evitar plantaciones muy densas, ya que cada planta debe tener aire a su alrededor. En plantas de sol, evitar los lugares de sombra. La mejor ubicación es al este, con el sol suave de la mañana (por ejemplo, los rosales).
Fertilizantes	Incorporar fertilizantes en forma periódica. Fertilizar al comienzo de la primavera con el inicio de las brotaciones. Aplicar un fertilizante de tipo completo en caso de no conocer la deficiencia.
Riegos	Evitar riegos sobre el follaje, ya que contribuyen al desarrollo de las enfermedades fúngicas. Evitar encharcamientos que producen putrefacción de las raíces.
Poda	Realizar labores de poda en forma cuidadosa, no podar ramas mayores de 2 cm de diámetro, sin tener motivos concretos, como, por ejemplo, ramas que interceptan lugares, o se entrecruzan con otras, etc. Desinfectar herramientas e implementos con alcohol o lavandina. Aplicar pulverización de oxicloruro de cobre después de la poda y también polisulfuro de calcio, muy comunes para rosales y otras plantas.
Control de enfermedades y plagas	Realizar controles diarios de las plantas. Aplicar productos preventivos en primavera, como el caldo bordelés. Aplicar los aceites emulsionables de invierno contra la cochinilla en plantas leñosas caducas (rosal, por ejemplo). Erradicar las malezas de los alrededores.

Enmiendas orgánicas

Son productos derivados de las actividades agropecuarias, como los restos de cosechas y de cultivos, plantas que terminaron su ciclo anual, estiércoles, abonos verdes, etc.
En el jardín, el material es distinto pero igualmente útil, como los cortes de césped, borduras florales anuales que terminaron su ciclo, limpieza del jardín, cortes suaves de poda, etc.

Distintos tipos de enmiendas y su preparación

***Compost* o mantillos de estiércol**	Se prepara a base de capas de residuos orgánicos variados, cortes de césped, plantas secas, podas, etc., que se alternan con tierra y estiércol. Luego se riega y se cubre para evitar que el compost se enfríe o reseque.
Mantillos de jardín	Preparación con restos de los cortes de césped, plantas herbáceas, etc., que se estratifican con tierra, se le da cierta compresión y se riega. Luego, se cubre.
Estiércol (de vaca y caballo)	Excrementos de animales de granja, como los de vaca y caballo, de alto contenido en materia orgánica. El estiércol de vaca tiene mayor porcentaje de agua, por lo que se descompone mejor.
Humus de lumbricus sp.	Humus a partir del trabajo de digestión de los residuos que hacen las lombrices de tierra y las de California.
Abonos verdes	Cultivo denso de leguminosas anuales, que luego se incorporan superficialmente al terreno mediante un picado de las mismas y una cobertura superficial en el suelo. Así, actúan las bacterias aerobias de la descomposición.

Labores culturales

Muchas son las tareas que, al mejorar la aireación del suelo y la circulación del agua, refuerzan las defensas de las plantas.

Labores culturales que mejoran la aireación y el drenaje del suelo	
Carpidas	Para airear el suelo y quitar malezas, así como para evitar la pérdida de agua por capilaridad en el suelo.
Rotación de los lugares cultivados	Para evitar el cansancio y la compactación de los suelos. También para cortar los ciclos de las plagas y enfermedades.
Protección del suelo con mulching	Para quitar la luz a las malezas y evitar que nazcan, dar calor en invierno y conservar la humedad del suelo.
Incorporación de materia orgánica	Genera mejores condiciones físicas del suelo, produce agregación de las partículas y ácidos orgánicos que mejoran la asimilación de los nutrientes.
Fertilización	Equilibra las pérdidas producidas en suelos pobres, cubre el déficit de nutrientes. Mejora las funciones básicas de las plantas.

Un tema que está íntimamente ligado al suelo es el manejo del agua. Su aporte, con la periodicidad que exija cada una de las especies, puede ser por goteo, riego manual o por aspersión.

Los riegos excesivos producen el llenado de los espacios entre las partículas o poros: microporos (los pequeños) y macroporos (los grandes), con la consecuente saturación del suelo y la muerte de las raíces por falta de aire. En época de sequía y en suelos no trabajados, el agua se pierde, ya que se originan largos tubos formados por las partículas del suelo, que llegan hasta la superficie. El fenómeno es llamado "capilaridad" (el ascenso de líquido debido a la fuerza que ejercen las paredes de finos tubos) y produce la pérdida del agua en el suelo. Las labores culturales destruyen esos espacios capilares o tubos formados entre las partículas, y evitan, de este modo, la pérdida de la humedad del suelo. También es importante la conducción de las aguas residuales fuera del jardín, a través de canales, cajas de drenaje u otro método.

Distribución de las cañerías del riego por goteo en rosales.

Pila de residuos verdes distribuidos en un sitio resguardado para la preparación del compost.

Técnicas de realización del mantillo de jardín, paso a paso

1- Elegir un lugar reparado y con media sombra (que evita la desecación del conjunto) para preparar una caja de drenaje: marcar sobre la superficie del suelo un cuadrado de uno (como mínimo) o dos metros de lado, de acuerdo con el lugar y la cantidad de residuos de que se disponga.

2- Preparar la caja excavando hasta una profundidad de 0,30 m a 0,40 m, disponiendo ramas gruesas entrecruzadas a manera de colchón aislante. Esta caja recibirá los líquidos provenientes de la descomposición, evitando las putrefacciones.

3- Distribuir residuos verdes, seleccionados y picados, sobre esta superficie de ramas, en capas de 20 cm de espesor. Cada capa, acomodada con horquilla, se debe pisar para darle cierta compactación.

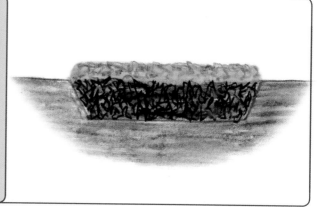

4- Cubrir cada capa de residuos con tierra negra, en un espesor de entre 2 y 4 cm (para compactar y proveer la flora microbiana) y regar.

5- Disponer de esta forma todo el material, alternando residuos y tierra negra. La altura total de la pila debe ser de 1 a 2 m, ya que después de la descomposición queda sólo un 30 % útil. Es necesario regar cada capa a fin de dar la humedad necesaria para la descomposición de los residuos.

6- Cubrir con chapas u otro material de cobertura, para proteger del lavado y enfriamiento que producen las precipitaciones.

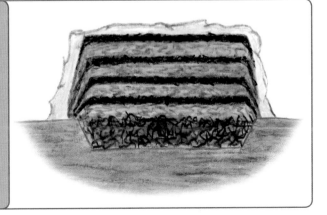

7- Controlar periódicamente (humedad, aireación y temperatura).

Manejo de la vegetacion

Es posible prevenir futuras enfermedades en las plantas, aun antes de emprender el diseño de un jardín o de realizar un cultivo de vivero. Esta prevención se efectiviza a través de la adecuada elección de las especies que se cultivarán.

Cultivo de especies en general

- Seleccionar especies y variedades adecuadas, resistentes a las plagas y enfermedades del lugar.
- Elegir las especies rústicas.
- Preferir ejemplares jóvenes, ya que son los que arraigan mejor y crecen más rápidamente.
- Evitar plantar árboles con longitud de circunferencia mayor de 18 a 25 cm, tomada a 1,20 m del suelo; altura de 2,50 a 3 m y diámetro de copa de unos 3 m aproximadamente, lo que se denomina "planton", pues cuanto mayor sean estas medidas, los árboles resultarán más lentos en el crecimiento y más difíciles de trasplantar.

Cultivo de especies en el vivero

- Cuando se trata de especies vigorosas, no comprar plantas en recipientes inadecuados: si se observa la salida de las raíces por el fondo de la maceta, lata, etc., y queda el pivote arraigado a la tierra del lugar donde se hallaba ubicada la planta en el vivero, se producirá una disminución en el crecimiento de las plantas, ya que deberá tratar de reponer las raíces perdidas.
- Evitar la compra de ejemplares desarmonizados, con una parte más desarrollada que la otra (es una evidencia del mal manejo: no ha sido convenientemente girada para que acceda al sol en todas sus caras).
- Observar las raíces de las plantas caducas que se plantan a raíz desnuda: deben ser consistentes, oscuras y no poseer nematodos.

Vista general de un invernáculo de polietileno. Un invernáculo debe proteger a los plantines de las bajas temperaturas y permitir el paso de la luz solar para un buen crecimiento. Es conveniente tener una mesada rústica de madera reciclada donde poder trabajar y apoyar los diferentes contenedores, cajones, bandejas y sustratos necesarios para la propagación de las plantas.

CAPÍTULO
6

Productos
fitoterapéuticos

Capítulo
6

Productos fitoterapéuticos

Estos productos erradican las enfermedades o las plagas de las plantas, tanto en forma preventiva como curativa. Deben elegirse aquellos menos tóxicos, para evitar riesgos en el ambiente y a los seres vivos que conviven con las plantas.

Modos de acción

Antes de presentar los distintos tipos de productos, su acción y las precauciones en su uso, es necesario puntualizar el significado de algunos términos de uso común en la clasificación.

Acción sistémica

Se refiere a los productos que, una vez aplicados, se trasladan por todo el vegetal, como el insecticida dimetoato y los fungicidas benomil, carbendazim y captan (preventivos y curativos).

Acción por contacto

Son aquellos que ejercen su acción sobre los organismos patógenos que se encuentran sobre la superficie de hojas, tallos, etc. Por ejemplo, los aceites minerales que actúan sobre las cochinillas y la arañuela roja, el azufre como fungicida de contacto, el clorotalonil como fungicida de contacto preventivo /curativo.

Acción sistémica y de contacto

Son los productos que ejercen las dos acciones, de contacto y sistémica, como por ejemplo el insecticida aldicarb que actúa sobre pulgones, cochinillas, ácaros, nematodos, arañuela roja.

Acción fumigante o por inhalación

La acción fumigante se elige para combatir insectos voladores y para el tratamiento del suelo. En este caso, se realiza el laboreo de la tierra para que el producto penetre fácilmente en el suelo (unos 15-20 cm de profundidad aproximadamente). Se cubre la zona con carpas de nailon y luego, mediante mangueritas especiales, se introduce por debajo el fumigante. De igual modo se pueden tratar montículos de tierra debajo de nailon, para el cultivo en macetas.

Entre los más usados se encuentra el bromuro de metilo, excelente por su acción biocida, que extermina todos los organismos, aunque mata también las bacterias no patógenas importantes en la degradación de la materia orgánica y la formación de los nitratos. Es un líquido muy tóxico, incoloro e inodoro, que se expende en garrafitas y se aplica con un cañito plástico a la carpa de nailon. Al abrir la válvula de la garrafita, sale el líquido al aire y se gasifica, actuando sobre bacterias del suelo, semillas de malezas y organismos en general. Se deben leer detenidamente las instrucciones dadas en el marbete o etiqueta del producto.

El clorpyrifos (órgano fosforado) se usa en las canchas de golf para el control de los nidos del grillo topo.

Previamente deben localizarse las larvas mediante riegos de agua y jabón blanco. Cuando salen al exterior, se aplica el producto en forma de riego y penetra en el suelo hasta donde se encuentra los nidos (30 cm), vaporizándose. El clorpyrifos está prohibido en los EE.UU. para uso en casas y jardines, por lo que se aconseja aplicarlo con sumo cuidado o reemplazarlo por otros menos tóxicos como las cipermetrinas.

El DDVP (órgano fosforado-dicloro divinil fosfato), muy utilizado para el control de moscas, mosquitos, jejenes, etc., y para control de insectos en silos de cereales, es también muy tóxico.

Acción de contacto e ingestión

Son productos indicados para gusanos, orugas, isocas, langostas, etc., que tienen aparato bucal masticador, y toman partes de la planta como alimento. Estos son: azinfos, dimetoato, alfametrina, ciflutrina, cipermetrina, deltametrina, carbaryl, diazinon, endosulfan, fention, entre otros.

Acción selectiva

Son aquellos productos que ejercen la acción terapéutica sobre un grupo de plantas determinado, como los herbicidas selectivos: estos son eficaces para erradicar malezas de la familia de las gramíneas (monocotiledóneas) de hojas alargadas, nervaduras longitudinales, pero no las dicotiledóneas de hojas anchas, nervadura en retículo.

Las hojas de la familia de las monocotiledóneas, como las gramíneas del césped, se caracterizan por sus hojas angostas y nervaduras que corren a lo largo de la hoja. El punto de crecimiento o meristema vegetativo se encuentra en la base de la planta, y está protegido por las hojas *(1)*, y el herbicida no alcanza a destruir la planta. En las dicotiledóneas, que tienen hojas anchas de disposición más abierta, reciben toda la pulverización sobre las yemas de crecimiento que no tienen protección y la planta muere cuando se la pulveriza con los herbicidas *(2)*.

El 2-4D, por ejemplo, es un herbicida de tipo hormonal. Se aplica para controlar las malezas de hoja ancha (que, en el césped, son la mayoría) sin afectar las de hoja fina como las gramíneas, que constituyen la carpeta.

Meristema de crecimiento

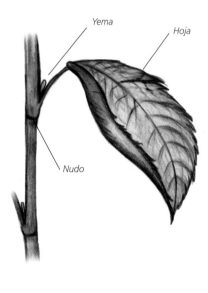

Yema

Hoja

Nudo

(1) Monocotiledóneas
El meristema de crecimiento está en la base de la planta.

(2) Dicotiledóneas
La yema de reemplazo está en la base del pecíolo de la hoja, sobre un nudo.

Acción específica

Son los productos que atacan únicamente al organismo patógeno, como los compuestos bactericidas y los antibióticos.

Acción no selectiva

Son productos que actúan sobre todas las malezas, sin diferenciar hoja ancha de hoja angosta, como el herbicida glifosato. Los compuestos de cobre (oxicloruro de cobre, caldo bórdeles), entre los fungicidas, controlan todos los hongos en general; el bromuro de metilo, de acción biocida, erradica cualquier inicio de vida, etc.

Productos según su acción

Productos específicos

Son los productos para el tratamiento de las enfermedades de las plantas, formulados especialmente para combatir el agente que las produce.

Productos, condiciones y acción		
Productos	**Erradica**	**Condiciones y acción**
Insecticidas	Insectos	Estados: larval y adulto, de contacto y sistémicos.
Acaricidas	Ácaros	Estados: larval y adulto, de contacto y sistémicos.
Fungicidas	Hongos	Externos e internos, de contacto y sistémicos.
Bactericidas	Bacterias	Productos especiales, antibióticos.
Herbicidas	Malezas	Acción total y selectiva: hoja ancha y hoja angosta.

Tipos de fungicidas

Existe una gran cantidad de fungicidas, que pueden clasificarse en preventivos y curativos.

Fungicidas de acción preventiva y de acción curativa	
Fungicidas de acción preventiva	**Fungicidas de acción curativa**

Fungicidas de acción preventiva

- Benomil (bencimidazol) sistémico: enfermedad de los almácigos y otras.
- Caldo bordelés (compuesto a base de sulfato de cobre y cal hidratada) preventivo para después de la poda.
- Captan, de contacto: hongos del suelo, mildiu.
- Maneb, de contacto: antracnosis, mildiu.
- Sulfato de cobre: de contacto.
- Oxicloruro de cobre: de contacto, aplicar después de la poda.
- Polisulfuro de calcio: muy usado en los rosales luego de la poda, previene el ataque de hongos y facilita la cicatrización de heridas.
- Preparado de ajos en alcohol (1 parte en 1 parte de agua): se pulveriza el suelo cada 15 días.
- Purín de ortigas en riegos sobre el suelo: macerado de ortigas de 4 a 5 semanas.

Fungicidas de acción curativa

- Benomil (bencimidazol): es curativo y preventivo. Se usa contra los hongos del suelo, antracnosis, viruela, podredumbre.
- Clorotalonil: fungicida de acción preventiva y curativa, aplicado para diversos hongos, antracnosis, viruela, mancha negra.
- Captan (dicarboximida) contra el "mal de los almácigos", antracnosis, podredumbre, tizón.
- Bromuro de metilo (insecticida/fungicida) contra los hongos del suelo, nematodos, semillas de malezas y organismos que habitan el suelo.
- Zineb (ditiocarbamato), para los lechos de siembra, contra los hongos del suelo, también para roya, viruela antracnosis, mancha negra del rosal.
- Previcur (propamocarb) usado para lechos de siembra, contra el mal de los almácigos; hongos del suelo, como Pythium, Fusarium y otros que atacan las plántulas de los almácigos.
- Como curativo, el alcohol de ajo se aplica sin diluir y es efectivo contra los gorgojos, los ácaros, mosca blanca, y muy especialmente contra los pulgones. En algunos casos es también un buen fungicida.

Los insecticidas

Los insecticidas pueden elegirse de acuerdo con su acción: sistémica o por contacto. El cuadro muestra ejemplos de cada uno.

Productos de acción sistémica y por contacto

Productos de acción sistémica	Productos de acción por contacto
• Clorpyrifos: insecticida muy usado para el control del grillo topo y otros insectos del suelo. De acción de traslado a todo el vegetal. Una vez aplicado, actúa también por inhalación y contacto.	• Aceites minerales de invierno y de verano: cochinillas, moscas blancas.
	• Azufre en polvo: fungicida.
	• Bromuro de metilo: fungicida, insecticida.
• Dimetoato: insecticida de acción contra los pulgones, moscas blancas, cochinillas, y otros insectos chupadores picadores. Sistémico y por ingestión.	• Mancozeb: fungicida, preventivo de contacto.
	• Maneb: fungicida, preventivo.
	• Oxicloruro de cobre: fungicida.
• Diazinon: insecticida sistémico.	• Carbaryl: insecticida de contacto e ingestión
• Benomil: fungicida de acción sistémica, preventiva y curativa.	• Cipermetrina: insecticida de contacto e ingestión.
	• Dicofol: acaricida, de contacto e ingestión.

Para elegir un insecticida, lo más importante es adecuar su grado de toxicidad a la gravedad del ataque de la plaga o de la enfermedad. Es necesario tener en cuenta que se aplicarán en un medio urbano, con lo cual la contaminación que ocasionan puede propagarse fácilmente. Se debe elegir siempre el producto menos tóxico, para preservar la salud tanto de quien lo aplica, como de las personas y los animales que habitan el lugar. En sitios pequeños y con pocas plantas, se pueden experimentar insecticidas del tipo orgánico, por ejemplo, el alcohol de ajo para los pulgones; la piretrina para los insectos en general; el polvo de azufre para los hongos; la tierra de diatomeas espolvoreada, que produce daños en la cutícula de los insectos.

Otras veces son útiles los granulados, por ejemplo, en el caso de las hormigas, ya que permanecen en los lugares el tiempo necesario para que actúe.

También existen cápsulas que contienen en su interior un tóxico específico. En el caso de árboles atacados por taladrillos, por ejemplo, se las coloca en perforaciones de entre 2 y 3 cm de profundidad practicadas en el tronco. Por ser sistémicos, estos insecticidas son trasladados a todo el árbol a través de la circulación de la savia.

Ninfa de una chinche en las hojas de una planta de ají. Las chinches poseen un aparato bucal picador, por lo tanto el daño del borde de las hojas corresponde a otra plaga.

Insecticidas y fungicidas orgánicos

Los siguientes productos son inocuos para el jardín y bastante efectivos para combatir la mayoría de los insectos y algunas enfermedades que atacan las plantas.

- Aceites emulsionables: se aplican en invierno, muy usados en frutales caducos, contra la cochinilla y la mosca blanca.

- Azufre mojable: el azufre es un buen fungicida, puede ser usado en polvo o bajo la forma de polvo mojable de mayor adherencia en las hojas. Se usa contra los hongos con buen resultado.

- Sulfato de nicotina: es un insecticida para pulgones y otros.

- Caldo bordelés: fungicida de contacto preventivo del ataque de hongos en general, es sulfato de cobre neutralizado con lechada de cal. La propiedad fungicida se la da el cobre.

- Agua jabonosa: solución muy práctica hecha con jabón blanco. Eficaz contra los pulgones adheridos a pimpollos florales, tallos jóvenes, etc. También pueden limpiarse con ella las hojas cubiertas por el hongo de la fumagina.

- Alcohol de ajos: se prepara con 4 ó 5 dientes de ajo picados, licuados durante 3 minutos con 500 cm^3 de alcohol fino. Se cuela y se aplica diluido: 1 parte del preparado en 1 parte de agua. Se conserva en heladera. Se usa como fungicida y como insecticida contra los pulgones, entre otros.

- Tierra de diatomeas: se espolvorean los insectos con este material áspero que les provoca daños o deterioros en sus capas externas.

Formas de aplicación

Los productos que combaten los insectos pueden encontrarse en diversas presentaciones, de las cuales se podrá elegir la más adecuada a cada necesidad.

Productos, formas de presentación y aplicación	
Sólidos	Pulverulentos (azufre). Granulados: hormiguicidas. Cilindritos del mírex. Cápsulas que contienen insecticidas de tipo sistémico. Se aplican mediante pequeñas perforaciones alrededor de los troncos de los árboles, cuando hay ataque de taladrillos.
Líquidos	Caldo bordelés y la gran mayoría de los insecticidas. Aceites minerales de invierno y de verano. Son más tóxicos que las formulaciones en polvo.
Gaseosos	Bromuro de metilo: para tratamiento de almácigos bajo vidrio o al aire libre. Aplicable bajo carpa plástica para difundir el gas de la garrafita de bromuro de metilo. Muy tóxico. Clorpyrifos: tiene cierto efecto fumigante en el suelo.
Aerosoles	Piretrinas en tratamientos domésticos: moscas, mosquitos, pulgas, polillas, cucarachas. Tetrametrina, cipermetrina y permetrina: de uso muy frecuente en el control de insectos del hogar (polillas, moscas, mosquitos, pulgas y cucarachas).

Clasificacion por toxicidad del producto

La toxicidad de cada producto se establece de antemano a través de pruebas de laboratorio. Estas pruebas indican la cantidad de sustancia tóxica capaz de matar al 50% de la población estudiada de animales de laboratorio (ratas o conejos). Se llama "dosis Letal 50 (DL50)" y se expresa en mg por kilo de peso vivo.

También se determina el daño que produciría una concentración determinada de producto al ser inhalado Se conoce como "concentración Letal 50 (CL50),") e indica la cantidad de producto que mataría al 50% de la población animal estudiada si inhalara esa determinada sustancia, se expresa en ml por kilo de peso vivo.

Cuando el pesticida presenta una DL50 oral aguda igual a 1 mg/k de peso vivo, como el insecticida aldicarb (Temik), está expresando que es muy poca la cantidad del producto necesaria para matar al 50% de una población de ratas de laboratorio y por lo tanto es un producto extremadamente tóxico (Clase A).

Clasificación toxicológica de los productos fitosanitarios

Categoría de toxicidad	Formulación líquida DL50 aguda		Formulación sólida DL50 aguda	
	ORAL	DERMAL	ORAL	DERMAL
CLASE A (extremadamente tóxico)	<20	<40	<5	<10
CLASE B (muy tóxico)	21-200	41-400	6-50	11-100
CLASE C (moderadamente tóxico)	201-2000	401-4000	51-500	101-1000
CLASE D (levemente tóxico)	>2001	>4001	>501	>1001

Clases de toxicidad

Antes de aplicar un producto, es conveniente conocer su grado de toxicidad.

Grados de toxicidad de los productos fitoterapéuticos

CLASE A (extremadamente tóxico)	aldicarb (insecticida), bromuro de metilo (fungicida, insecticida, nematicida).
CLASE B (muy tóxico)	azinfos (insecticida), DDVP (insecticida), lindano (insecticida), fention (insecticida), ethion (acaricida).
CLASE C (medianamente tóxico)	alfametrina (insecticida), cipermetrina (insecticida), clorpirifos (insecticida), deltametrina (insecticida), dimetoato (insecticida sistémico), clorotalonil (fungicida), dazomet (fungicida), dicofol (acaricida), endosulfan (insecticida), diazinon (insecticida), 2-4D (herbicida), MCPA (herbicida), maneb (insecticida), oxicloruro de cobre (fungicida), permetrina (insecticida), pirimicarb (insecticida).
CLASE D (levemente tóxico)	aceite mineral (insecticida), azufre (fungicida), benomil (fungicida sistémico), captan (fungicida), carbaryl (insecticida), carbendazim (fungicida/nematicida), glifosato (herbicida), mancozeb (herbicida), mercaptotion (insecticida), mírex (insecticida/hormiguicida), tiabendazol (fungicida), triforine (fungicida), zineb (fungicida).

Accion de los agroquímicos en las personas y los animales

Como se ha visto, los productos que se utilizan para combatir las plagas y las enfermedades de las plantas son tóxicos, y no sólo afectan a los organismos que se quieren combatir, sino que también perjudican a personas y animales.

Estos son los principales daños que pueden producir en el organismo.

Aparato respiratorio

Es la vía principal de entrada al cuerpo: las pequeñas gotitas del producto tóxico son inhaladas y así ingresan en el aparato respiratorio. Los fumigantes son los que producen la mayor acción tóxica en los pulmones.

Ojos

Los ojos son otra puerta de entrada para los productos tóxicos en el momento de su aplicación. Se deben usar anteojos protectores cuando se pulveriza con productos tóxicos y hacerlo de espaldas al viento. También se debe evitar el contacto de los ojos con las manos, mientras se está trabajando con tóxicos. En caso de haberse contaminado, hay que lavar muy bien los ojos con abundante agua limpia.

Aparato digestivo

Esta es una intoxicación más casual, el ingreso del producto al organismo se produce por vía oral, generalmente cuando no se observan adecuadamente las reglas de higiene: no comer, beber ni fumar durante la aplicación del producto. Jamás se deben destapar con la boca los recipientes de los productos tóxicos.

Piel

Es la intoxicación más común. Se produce la absorción cutánea del producto cuando se toma contacto con él. También penetran la piel los productos tóxicos utilizados en las pulverizaciones. Es indispensable cubrir la piel de todo el cuerpo con ropa adecuada.

Lectura de las etiquetas

Antes de usar cualquier producto agroquímico, es fundamental leer detenidamente la etiqueta del producto. En ella encontraremos:

- La clasificación toxicológica, que expresa la *Dosis Letal 50* (cantidad de mg por k de peso vivo del agroquímico capaz de producir la muerte del 50% de la población de laboratorio). El nombre del ingrediente activo y la cantidad que contiene el envase.
- El modo de uso y las normas de seguridad a seguir.
- La marca comercial del producto.
- La dirección y el nombre del fabricante.
- Las advertencias y el símbolo del peligro (una calavera con dos tibias cruzadas), que que indican la toxicidad.
- El nombre de las sustancias acompañantes, como el disolvente, la sustancia que favorece la adherencia del producto a la planta, etc.

EXTREMADAMENTE TÓXICO	☠	PELIGRO - VENENO
MUY TÓXICO	☠	PELIGRO - VENENO
MODERADAMENTE TÓXICO	✖	VENENO
MODERADAMENTE TÓXICO		CUIDADO

Bandas de color de los productos fitoterapéuticos según la clase toxicológica

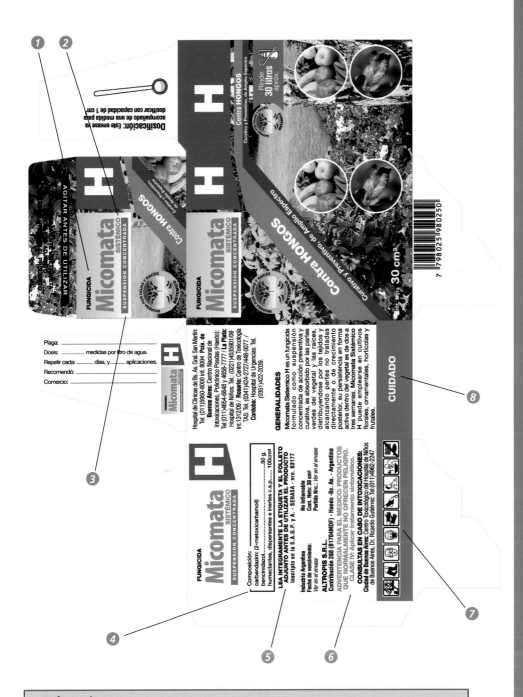

Referencias:

1. Tipo de producto
2. Acción del producto
3. Forma de preparación
4. Composiciòn quimica
5. Datos de inscripcion SENASA, Nombre de la empresa
6. Advertencias en caso de intoxicación
7. Pictogramas
8. Nivel de toxicidad

Etiqueta de un fungicida con sus datos.

Pictogramas para etiquetas de productos fitosanitarios

ALMACENAMIENTO

MANIPULEO Y APLICACIÓN

Guardar bajo llave y fuera del alcance de los niños.

Manejo de concentrado líquido.

Manejo de concentrado seco.

Aplicación.

RECOMENDACIONES

Usar guantes.

Usar protecciòn de los ojos.

Lavar después de usar.

Usar botas.

Usar protección de nariz y boca.

Usar máscara.

ADVERTENCIAS

Peligroso para animales.

Peligroso para los peces y fuentes de agua.

Recomendaciones para el uso de agroquímicos

- Seleccionar los productos menos tóxicos para el hogar, sobre todo donde exista población de riesgo como los niños y los ancianos.
- Proteger a los animales domésticos y no usar productos con piretrinas (por ejemplo deltametrina, tetrametrina, cyflutrina y otras) cuando haya peceras cerca, ya que estos compuestos resultan sumamente tóxicos para los peces.

- Aplicar las dosis adecuadas.
- Luego de las aplicaciones, bañarse con ducha, lavando muy bien todo el cuerpo y la cabeza con agua y jabón.
- Una vez utilizado el agroquímico, guardarlo lejos de los alimentos.
- No trasvasar el producto de su envase original a otro envase.

La protección del cuerpo

Cuando se usan agroquímicos es indispensable proteger la piel de todo el cuerpo para evitar intoxicaciones.

Indumentaria de protección al aplicar agroquímicos	
Ropa	Overol, camisa de mangas largas, pechera y pantalón. También, sombrero.
Guantes	De látex, con puño largo.
Botas	De caña alta y de goma.
Protector	En los ojos, la nariz y la boca.
Máscara	De carbón activado, para las pulverizaciones de fosforados y carbamatos.

Equipo de trabajo para usar en las aplicaciones de agroquímicos.

Equipo de protección personal

Se muestran las piezas que componen esta máscara protectora del rostro. Este equipo impide que los productos tóxicos lleguen a los ojos, la boca y las vías respiratorias.

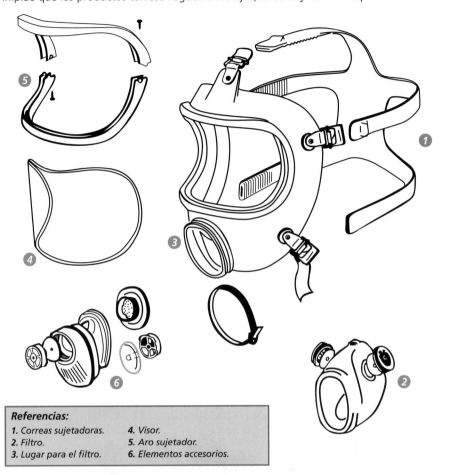

Referencias:

1. Correas sujetadoras.
2. Filtro.
3. Lugar para el filtro.
4. Visor.
5. Aro sujetador.
6. Elementos accesorios.

Protección respiratoria, cubriendo boca y orificios nasales para impedir que se respiren sustancias peligrosas. Llevan filtros de carbón activado que absorben los gases de esas sustancias y deben renovarse periódicamente.

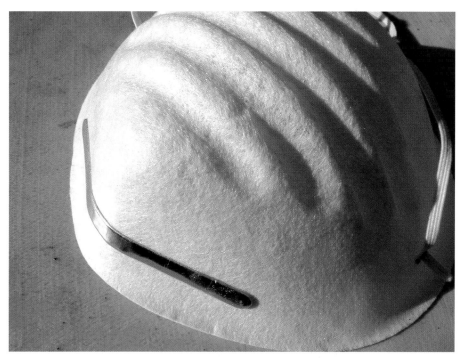

Mascarilla para protección de las vías respiratorias cuando se aplican productos en polvo. Cubre la boca y la nariz. Se sujeta con cinta elástica a la cabeza.

Otro modelo de mascarilla protectora de las vías respiratorias, con filtros reemplazables.

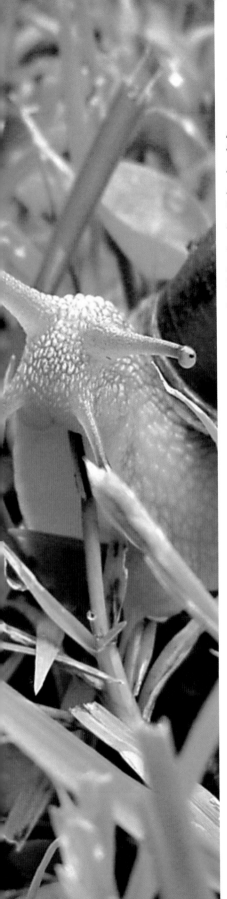

Glosario

Acaricida: producto para aplicar contra los ácaros, como la arañuela roja, que ataca las plantas y las cubre de una fina tela.

Acidófilas: plantas que requieren un medio ácido para vivir.

Agalla: protuberancia o excrecencia de los tejidos, surge como reacción ante diversos factores.

Algas: plantas no vasculares, en general, acuáticas.

Alguicida: producto para controlar el desarrollo de las algas.

Ambiente o medio: lo que rodea a las plantas, a los animales y al hombre, y que incluye los factores climáticos y el suelo.

Áptero: sin alas.

Bacteria: organismo unicelular microscópico, que mide unos pocos micrones de longitud. Presenta distintas formas: de bastones (bacilos), esféricos (cocos), filamentosos, etc. Intervienen en importantes enfermedades de las plantas y son de difícil control.

Bactericida: compuesto químico que mata bacterias, como los antibióticos.

Capítulo: inflorescencia de flores sésiles, insertadas sobre un eje corto y dilatado, como las caléndulas, las margaritas y otras de la familia de las compuestas.

Cebo tóxico: sustancia preparada para matar algunos organismos que atacan las plantas, como babosas, caracoles, etc.

Clorosis: amarillamiento patológico del follaje, que aparece como consecuencia de una enfermedad o por ataque de plagas.

Contacto: producto insecticida o fungicida tóxico, cuya acción al adherirse a cualquier parte externa de las plantas, produce la muerte de los microorganismos.

Control: aplicación de un conjunto de medidas para el tratamiento de las plagas y enfermedades.

Decumbente: tallos no erguidos, como "echados" sobre el suelo.

Defoliación: caída de hojas por temperaturas altas, por heladas o por ataque de plagas o enfermedades.

Ectoparásito: parásito que se encuentra en el exterior del vegetal, como por ejemplo, los oídios.

Enmiendas: es todo preparado orgánico o inorgánico, capaz de modificar las condiciones físicas y químicas del suelo e incorporarle nutrientes como los nitrogenados.

Estolón: tallo modificado que se extiende a nivel del suelo y produce brotes en sus nudos.

Estolonífero: que presenta estolones.

Fitoterápico: producto usado para controlar las enfermedades de las plantas.

Fitotóxico: producto perjudicial para el proceso de crecimiento normal de una planta.

Fungicida: producto capaz de detener o destruir el ataque de un hongo.

Gemífera: hoja o raíz con yemas.

Glomérulo: inflorescencia globulosa.

Gomosis: producción de goma por los tejidos de la planta, que se expande hacia afuera.

Herbicida: sustancia destinada para controlar, repeler o evitar el desarrollo de las malezas.

Heliófila: planta que requiere sol.

Hifas: filamentos del micelio de los hongos, que pueden o no ser tabicados.

Hongo: organismo parásito cuyas células carecen de cloroplastos para producir clorofila, por lo que viven a expensas de otros organismos.

Infección: penetración y desarrollo de gérmenes patógenos, llamados infecciosos.

Látex: jugo lechoso blanco amarillento, que fluye de las heridas de muchas plantas.

Maleza: planta que crece entre las cultivadas, con las que compite por los nutrientes y agua del suelo y, muchas veces, les transmite enfermedades.

Mancha: síntoma de enfermedades que modifican el color normal de las hojas, frutos o tallos.

Micelio: agrupación de hifas de un hongo.

Molusquicida: producto que se aplica para el control de los moluscos, como babosas y caracoles.

Necrosis: muerte de células o tejidos.

Parénquima: tejido fundamental o preponderante de los vegetales, constituido por células de forma regular, no ignificadas, como el parénquima clorofílico de las hojas, el aerífero de las plantas flotantes, etc.

Pinnada: hoja compuesta de foliolos numerosos y alineados a lo largo de un eje o raquis.

pH: es la medida de la reacción del suelo. Se mide mediante reactivos específicos: cuando el valor es 7, el pH es neutro; si está entre 4 y 5,50, es ácido; y de 7 a 8, alcalino.

Plaguicida: sustancia o mezcla de sustancias que sirven para controlar insectos, malezas, roedores, etc.

Podredumbre: puede ser húmeda o seca, y en ambos casos se lesionan los tejidos de la planta. Es producida por el ataque de bacterias y/u hongos.

Predador: organismo que caza a otros para alimentarse, y que forma parte del equilibrio de las especies.

Pústula: elevación pequeña en las hojas, formada por la fructificación del hongo.

Rizoma: tallo subterráneo adaptado a las funciones de la raíz.

Selectivo: compuesto que afecta a ciertos individuos y no a otros, como algunos herbicidas e insecticidas, que ejercen su acción sobre determinadas plantas y no sobre otras.

Síntoma: reacción externa o interna de una planta por efecto de una plaga o de una enfermedad.

Sistémico: producto que, aplicado a cualquier parte de la planta, circula por todo su interior. Es decir, aplicado a la raíz, se transporta a toda la planta; si se aplica a las hojas, se traslada a la raíz."

Tolerante: planta que resiste la aplicación de un plaguicida o de un fungicida.

Tomentoso: planta u órgano cubierto de pelos muy cortos y densos.

Tumor: hinchazón de algún órgano o de una parte de la planta.

Virus: parásito ultramicroscópico, capaz de producir malformaciones, clorosis, franjas, etc.

Yema: rudimento de un vástago que habitualmente se encuentra en las axilas de las hojas, protegido por catáfilas u hojas protectoras.

Bibliografía

Bragato, Pier Antonio, *Primeros Auxilios para las plantas*, Barcelona: Editorial Grijalbo, 1990.

Brigue, J. P., Morand, J. C., Tharaud, M., *Patología de los cultivos florales y ornamentales*. Madrid: Ediciones Mundi-Prensa, 1990.

Cátedra de Floricultura y Jardinería - Facultad de Agronomía, UBA, "Ayuda didáctica de plagas de las plantas ornamentales", Buenos Aires, septiembre de 1991.

Costa, Juan J.; Margheritis, Aurelio E.; Mársico, Osvaldo J., *Introducción a la Terapéutica Vegetal*, Buenos Aires: Editorial Hemisferio Sur, 1979.

Chiesa Molinari, O., *Las plagas de la huerta y el jardín y modo de combatirlas*, Buenos Aires: Editorial Bell, 1948.

Di Benedetto, A., *Enfermedades y plagas de las plantas de follaje*, Departamento de Producción Vegetal, Cátedra de Floricultura - Facultad de Agronomía de Buenos Aires, 1992.

Enciclopedia práctica de la Agricultura y la Ganadería, Barcelona: Ediciones Océano/Centrum, 2006.

Enciclopedia Salvat de la Jardinería, Salvat Editores S.A., tomos II-IV-VI-VIII-IX-X. Barcelona, 1980.

Cámara de Sanidad Agropecuaria y Fertilizantes, CAFADE, *Guía de productos fitosanitarios para la República Argentina*, Buenos Aires, 1995.

Organización Mundial de la Salud (OMS), Oficina Internacional del Trabajo (OIT), *Guía sobre seguridad y salud en el uso de productos agroquímicos*, Ginebra, 1993.

Fernandez Valiela, Manuel, *Introducción a la Fitopatología*, Instituto Nacional de Tecnología Agropecuaria (INTA), tomos I-II–III, Buenos Aires, 1978.

Font Quer, Pío, *Diccionario de Botánica*, Barcelona: Editorial Labor, 1975.

Jauch, Clotilde, *Patología vegetal*, Buenos Aires: Editorial El Ateneo, 1976.

Buckman, Harry O. Y Nyle C. Brady, *Naturaleza y propiedades de los suelos*, México: Editorial Uteha, 1991.

Millar, C. E.; Turk, L. M.; Foth, H. D., *Fundamentos de la ciencia del suelo*, México: Compañía Editorial Continental S.A. (C.E.C.S.A.), 1975.

Parodi, Lorenzo, *Botánica sistemática. Enciclopedia Argentina de Agricultura y Jardinería*, tomo I. Buenos Aires: Acme Agency, 1974.

Papè, Heinrich, *Plagas de las flores y de las plantas ornamentales*, Barcelona: Ediciones Oikos-tau S. A., 1977.

Piazza, Augusto; Lisarrague, J. Pérez; Barbado, J. Luis, *Guía práctica para el profesional en fitoterápicos*, Buenos Aires: Editorial Dunken, 2000.

Rizzo, Horacio F., *Catálogo de insectos perjudiciales en cultivos de la Argentina*, Buenos Aires: Editorial Hemisferio Sur, 1977.

Royal Horticultural Society, *Plagas y enfermedades del jardín*, Colección Folio, Barcelona, 1990.

Secretaria de Agricultura, Pesca y Alimentación, *Boletín informativo*, SENASA (EX-IASCAV, Instituto Argentino de Sanidad y Calidad Vegetal), Buenos Aires, 1996.

Smiley, Richard; Dernoeden, Peter; Clarke, Bruce, *Plagas y enfermedades de los céspedes*, Barcelona: Ediciones Mundi-Prensa, 1996.

Valla, Juan José, *Manual para el cultivo de las plantas*, Ediciones Facultad de Agronomía, Sección impresiones y publicaciones de la Biblioteca Central de la Facultad de Agronomía, Universidad de Buenos Aires, 1971.

Villalva Quintana, Sonia, *Plagas y enfermedades de los jardines*, Barcelona: Ediciones Mundi-Prensa, 1996.

Índice

EDITORIAL
ALBATROS